Glyptothek München

Glyptothek München

Griechische und römische Skulpturen

Ein kurzer Führer von Dieter Ohly
mit 29 Abbildungen im Text und 48 Tafeln

Verlag C.H.Beck München

Eine *Cafeteria* im Saal VIII bietet dem Besucher Rast und Erfrischung.

Öffnungszeiten des Museums sind dem beiliegenden Blatt zu entnehmen.

Antikensammlungen am Königsplatz: In der Glyptothek gelöste Eintrittskarten berechtigen am gleichen Tag zu einem ermäßigten Eintritt in die Antikensammlungen (griechische Vasen, etruskischer und griechischer Goldschmuck, etruskische und griechische Bronzen, griechische Terrakotten).

Verwaltung der Glyptothek und Antikensammlungen: München 2, Karolinenplatz 4 (Telefon 28 30 46/28 30 47).

ISBN 3 406 03537 X
2., verbesserte Auflage 1972

© C. H. Beck'sche Verlagsbuchhandlung (Oscar Beck) München 1972.
Satz und Druck: C. H. Beck'sche Buchdruckerei Nördlingen. Gestaltung:
Jürgen Fischer. Klischees: Brend'amour, Simhart & Co. München.
Printed in Germany

INHALTSVERZEICHNIS

VESTIBÜL

Der *Grundriß der Glyptothek* (Abb. 2 auf Seite 14; Tafel neben dem Eingang zum ersten Saal) zeigt die Anordnung der dreizehn Ausstellungssäle, die den quadratischen Innenhof umgeben. Ihre Abfolge (Saal I bis XIII) entspricht dem Rundgang, der dem Besucher empfohlen wird. Die einzelnen Säle sind nach in ihnen aufgestellten Bildwerken benannt:

  I   Saal der frühgriechischen Jünglinge
  II Saal des Faun
  III Saal des Diomedes
  IV Saal des Grabreliefs der Mnesarete
  V   Saal der Eirene
  VI Saal des Grabreliefs mit dem Jäger

  VII Saal der Westgiebelgruppe des Tempels von Ägina
  VIII Saal der Sphinx
  IX   Saal der Ostgiebelgruppe des Tempels von Ägina

  X   Saal des Alexander
  XI   Saal der römischen Bildnisse
  XII Saal des Apollon
  XIII Saal des Knaben mit der Gans

Volterra

Sentinum

ETRURIEN

Volci

Tarquinii

Rom

LATIUM

Kyme

Neapolis

Poseidonia

Elea

Metapont

Tarent

Sybaris

Kroton

Lokroi

Selinus

SIZILIEN

Rhegion

Akragas

Katana

Gela

Syrakus

Malta

Adria-

tisches

Meer

Korkyra

Jonisches Meer

1. Griechenland und Rom

Griechenland: Peloponnes, Mittelgriechenland, Nordgriechenland, Ägäische Inseln und Kreta; kleinasiatisches Küstengebiet (Ostgriechenland); Pflanzstädte des 8. bis 6. Jahrh. v. Chr. in Unteritalien und Sizilien (Westgriechenland).
Rom: Herrschaft in Unteritalien und Sizilien seit 3. Jahrh. v. Chr. – Ausbreitung römischer Macht in Kleinasien seit 2. Jahrh. v. Chr. – Griechisches Mutterland römische Provinz seit 27 v. Chr.

Saal VI. Griechische Grabmonumente (5.–4. Jahrh. v. Chr.): Grab- *Tafel*
relief eines Jägers, Grabrelief einer Frau *20–21*
Saal VII. Westgiebelgruppe des Tempels von Ägina; Firstbekrö- *22–24.*
nung des Tempels. (Um 500 v. Chr.) *28–29*
Saal VIII. Sphinx, Eckbekrönung vom Dach des äginetischen
Tempels; Firstbekrönung. (Um 500 v. Chr.)
Saal IX. Ostgiebelgruppe des Tempels von Ägina; Kopf einer *25–27*
Sphinx vom Dach des Tempels, Umschlagbild. (Um 480)
Saal X. Griechische statuarische Werke und Grabreliefs (4. Jahrh. *30–31*
v. Chr. bis 2. Jahrh. n. Chr.): Statue des Alexander («Alexander
Rondanini»); Bildnis des Demosthenes, Kopf einer Göttin (rö-
mische Kopien); Grabrelief des Hiras
Saal XI. Römische Porträts und Reliefwerke, römisches Mosaik *33–45*
(1. Jahrh. v. Chr. bis 4. Jahrh. n. Chr.): Bildnisbüsten und Bildnis-
statuen; großes Reliefmonument mit Hochzeit des Poseidon;
Reliefsarkophage; großes Mosaik aus Sentinum
Saal XII. Römische Kopien und Nachbildungen griechischer
Standbilder: kolossale Statue des Apollon («Apollon Barberini»).
– Statue des Kaisers Domitian
Saal XIII. Römische Kopien und Nachbildungen griechischer *46–47*
Standbilder: Knabe mit Gans, Trunkene Alte, Satyrkopf. – Bronze-
statue einer Frau aus Etrurien. – Römische Reliefwerke: Sarko-
phage und Tafelbilder

Die Sammlung König Ludwig I. von Bayern. – Den größten Teil der
Kunstwerke in der Glypothek hat Ludwig I. gesammelt. Sie werden
im Folgenden nach ihrem Standort aufgeführt:
Saal I: 2, 4–9. Saal II: 1–2, 4, 6. Saal III: 1–4, 7–10, 13–15. Saal V:
1–6, 8–9, 12–15, 17. Saal VI: 9. Saal VII: 1–6. Saal VIII: 1–4. Saal IX:
1–4, Vitrinen A und B. Saal X: 1–2, 4, 10–11. Saal XI: 1–4, 6–14,
16–19, 21–27, 30–40, 42–47, 49–53, 55–64, 67. Saal XII: 1–3, 5–7 und
Bodenmosaik. Saal XIII: 1, 4–13. Hof: Bildnis des Hadrian.
Diese Kunstwerke sind durch Beschluß des Kronprinzen Rup-
precht im Jahre 1923 zum Eigentum des Wittelsbacher Ausgleichs-
fonds erklärt worden, um sie im Sinne des Gründers des Museums dem Lande Bayern zu erhalten.
Schenkung und Vermächtnis. – Auguste, Herzogin von Leuchten-
berg (Schenkung 1826): Römisches Mosaik aus Sentinum,
Saal XI: 42. – Johann Martin von Wagner (Schenkung 1858):
Römisches Relief mit ländlicher Szene, Saal XIII: 13. – Paul

Arndt (Schenkung 1892): Bildnis des Homer, Saal I: 3. – Franz
von Lenbach (Schenkung 1897): Kopf des Herakles, Saal XII: 4. –
Friedrich Wilhelm Freiherr von Bissing (Schenkungen 1900 und
1910): Grabrelief der Mnesarete, Saal IV: 1 und Gladiatorenrelief,
Saal XI: 41. – Edward Perry Warren (Schenkung 1907): Grabrelief
mit Ehepaar, Saal VI: 12. – Anna von Lotzbeck (Vermächtnis
1917): Römischer Knabenkopf, Saal XI: 20. – Bayerischer Verein
der Kunstfreunde (Schenkung 1939): Statue eines Knaben,
Saal III: 5. Kopf der Aphrodite, Saal V: 10. Grablekythos mit
Ehepaar, Saal IV: 10. Grabrelief mit Frau und Dienerin, Saal VI:
4. – Heinz Herzer (Schenkung 1971): Kopf eines Römers,
Saal XI: 5

Bauinschriften im Vestibül
Die Bauinschriften über dem Hauptportal, über dem Hofportal
und über den in ihrer einstigen Fassung mit Pilastern, Gebälk und
Giebelbekrönung wiederhergestellten Eingängen zu den Sälen
I und XIII unterrichten uns über Beginn und Ende der Bauzeit
der Glyptothek, über den königlichen Bauherrn, in dem die
Idee zur Gründung dieses Hauses der antiken Skulpturen reifte,
über den Baumeister, der es geschaffen hat, und schließlich
auch über den mit der Ausmalung der alten Festsäle beauftrag-
ten Maler.
Über dem Hauptportal: «Begonnen 1816, vollendet 1830». – Über
dem Hofportal: «Ludwig I., König von Bayern, gründete dieses
Museum und widmete es als würdige Heimstätte den plastischen
Denkmälern des Altertums, die er von überall herbeigeschafft
hat». Über dem Eingang zum Saal I: «Auf Geheiß des Königs
gebot Leo von Klenze über den Bau und die Ausstattung des
Hauses». – Über dem Eingang zum Saal XIII: «Auf Geheiß des
Königs schmückte Peter von Cornelius die Gewölbe mit Ge-
mälden».
Der lateinische Text der Bauinschriften: INCHOATUM
MDCCCXVI. PERFECTUM MDCCCXXX (über dem Hauptpor-
tal). – LUDOVICUS I BAVARIAE REX VETERUM SCULPTU-
RAE MONUMENTIS QUAEIPSE UNDIQUE CONGESSERAT
DECORE COLLOCANDIS HOC MUSEUM CONDIDIT ATQUE
DICAVIT (über dem Hofportal). – REGIS IUSSU AEDIFICIO
EXSTRUENDO ET DECORANDO PRAEFUIT LEO KLENZE
EQUES (über dem Eingang zum Saal I). – REGIS IUSSU

CAMERAS PICTURIS EXORNAVIT PETRUS CORNELIUS
EQUES (über dem Eingang zum Saal XIII).

Zur heutigen Gestalt der Säle
Bei der Betrachtung des Grundrisses (Abb. 2) gibt sich die
geniale Hand des Baumeisters der Glyptothek zu erkennen. Sie
wird beim Durchschreiten der von ihm gestalteten kraftgeladenen
Raumkörper zum Erlebnis, obschon die außerordentlich prunk-   *Taf. 3*
volle Ausstattung, die er ihnen gegeben hatte, durch Krieg und
Kriegsfolgen zugrunde gegangen ist und nur die unverkleidete
Bausubstanz erhalten blieb oder erneuert wurde; die aus Ziegel-
mauerwerk aufgerichteten Wände, Gewölbe und Kuppeln, die
heute nur leicht überschlämmt sind. – Hier waren einst Wandflächen, überzogen mit wechselnd gefärbtem, glänzendem   *Taf. 2*
«Stuccolustro», der Marmorvertäfelungen nachahmte; in Stuck
vorgeblendete, leuchtend bemalte Gesimse und von bunten
Rosetten, Sternen, Ornamenten, figürlichen Themen ausgefüllte
Kassettierungen verschiedenartiger Form. Ein weißer, durch
reichliches Gold und starke Farben aufgehöhter Reliefdekor aus
Stuck mit mannigfaltig abgewandelten Ornamenten, Arabesken,
Symbolen, Allegorien, figürlichen Gruppen über den Durch-
gängen, auf den Hochwänden und in den Gewölben. Drei Säle,
die ehemaligen «Festsäle» der Glyptothek, die abendlichen Empfängen des königlichen Hofes zum Museumsbesuch bei Fackellicht vorbehalten waren und in denen keine Skulpturen standen,
waren mit Hochwand- und Deckengemälden geschmückt (Saal
VII, VIII und IX). Auch anstelle der jetzt schlichten Pflaster aus
Kalkstein befanden sich hier vielfältig bunte und glänzende
Marmorböden.
Wie die ihrer einstigen Marmor- und Stuckverkleidung entblößten
großen Baudenkmäler des antiken Rom uns mit Staunen erfüllen
und uns höchste Bewunderung abfordern, so ähnlich sprechen
zu uns auch die in ihrer Grundstruktur immer großartigen Säle
des römisch gesinnten Baumeisters der Glyptothek. Wir gehen
durch Räume von unterschiedlicher Gestalt und Größe: Rechteckige und quadratische Säle; ein einziger mächtig-oblonger
und tiefer liegender Saal im Osten des Hauses (Saal XI); das
Vestibül im Mittelbau des Fronttraktes der Glyptothek ein Saal,
der die übrigen an Höhe beträchtlich überragt. Zwei runde Säle
bilden die Eckräume im Südwesten und Südosten (II und XII),

und zwischen ihnen und dem Vestibül ist in zwei Sälen das Rechteck mit dem Halbrund verbunden (I und XIII). Die Raumfolge im
Fronttrakt mit der Fassade zum Königsplatz ist durch eine besonders kraftvolle Plastizität herausgehoben (Vestibül mit
Sälen I/II und XIII/XII). – Eine vielfältige Gliederung der Gewände
mit vorspringenden und zurückweichenden Wandelementen, mit
Nischen von verschiedenem Ausmaß und Zuschnitt, mit schweren Wandpfeilern, Pilastern, mit schmalen Rippen, flachen
Lisenen und abgesetzten Feldern. Über dem durchlaufenden,
vielfach verkröpften Gesimsband die Überwölbungen: hochauf-
steigende Kuppeln in den zwei Rundsälen (II und XII); Halbkuppeln in den Konchen der Säle I und XIII; flach gewölbte
Hängekuppeln, Kreuz- und Tonnengewölbe in den übrigen
Sälen. Breite und schmale Gurtbögen, die die Gliederung der
Wände aufnehmen, die Gewölbe einfassen und unterteilen. Und
allenthalben Kassetten, in der Regel rechteckige, einmal auch
rautenförmige, die die Voll- und Halbkuppeln überziehen und sich
in ihnen verjüngen (Saal I/II und XIII/XII) oder die breiten Gurtbögen begleiten. Die Durchgänge von Saal zu Saal sind recht-
eckig mit geradem Sturz, mitunter dann auch mit einem Giebel
besetzt, oder sie öffnen sich in Halbkreisbögen. Die Rundsäle im
Süden (II, XII) empfangen das Tageslicht aus den «Laternen»
im Zenit der Kuppeln, und die Ecksäle im Norden (VI, X) sind mit
dreifachen, bis zum Boden reichenden Fenstern ausgestattet, die
als einzige die Außenwände des sonst allseitig nach außen
geschlossenen Hauses durchbrechen. Alle übrigen Säle erhalten
hofseitiges Licht durch «Lünetten» (halbrunde Hochwandfen-
ster und darunter liegende rechteckige Fensteröffnungen. In den
alten Ausstellungssälen (I, III–V, XI, XIII) und in den ehemaligen
großen Festsälen (VII, IX) waren die Wandflächen geschlossen
und die Lünetten die einzige, ungenügende Lichtquelle. Daß der
Baumeister der Glyptothek jedoch auch hier Fenster vorgesehen
hatte, steht fest: In den Sälen I und XIII fanden sich unter der zerstörten Stuckverkleidung durch Pfeiler in drei Felder gegliederte,
große Fenster, die vom Gesims der Lünetten bis zu einer niedri-
gen Brüstung herabreichten. Sie sind während der Fortführung
des Baus wieder zugemauert worden. Mit der Öffnung der Wände
durch zweigeteilte, bis zum Boden reichende Fenster wurde
Klenzes ursprünglicher Plan in etwas veränderter Gestalt wie-
deraufgegriffen.

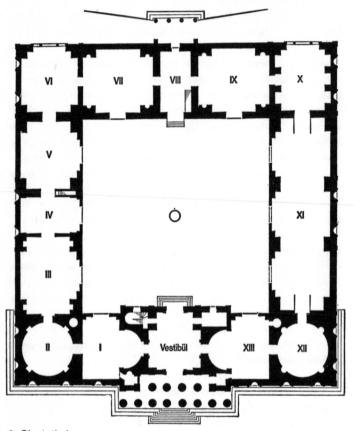

2. Glyptothek

RUNDGANG DURCH DIE AUSSTELLUNGSSÄLE

Die in den Sälen I bis XIII ausgestellten plastischen Werke aus Griechenland und Rom (Karte von Griechenland und Rom Abb. 1, Seite 8f.) umfassen einen Zeitraum von einem Jahrtausend. Die ältesten griechischen Skulpturen reichen in das 6. Jahrhundert v. Chr. zurück, die spätesten aus der Zeit des römischen Imperiums gehören dem 4. Jahrhundert n. Chr. an.

Die Geschichte der griechischen und römischen Kunst des Altertums ist bei aller Wandlung und trotz der Verlagerung ihrer Schwerpunkte eine Einheit: das erste große Zeitalter der europäischen Kunst. Das Bildwerk aus griechischer Frühzeit ist der Ahn des späten römischen. Was die Griechen als erste für die Welt entdeckt und dargestellt haben, ausbauten und vertieften, bis zur Überreife hingeführt haben, das physisch-geistige Sein, die organisch beseelte Lebensnähe, wie sie uns in Gestalt und Antlitz des sogenannten Apoll von Tenea in einem morgendlichen Urzustand vor Augen steht, das ist über die Jahrhunderte hinweg, obschon verwandelt und mit neuer Sinngebung auch in den Bildnissen der Römer lebendig. – Rom hat als Herrin über Griechenland sich als Erbe der griechischen Kunst verstanden. Zu einem Zeitpunkt des drohenden Verfalls des Griechentums hat sich Rom rückblickend den großen griechischen Errungenschaften leidenschaftlich zugewandt und fortan sich mit ihnen auseinandergesetzt. Es hat die Schöpfungen der griechischen Künstler von Rang bewahrt und kopiert, sich selbst und der Nachwelt die Kunst der Griechen überliefert, zugleich aber auch dem Kunstschaffen neue Impulse gegeben und neue Wege aufgetan.

I SAAL DER FRÜHGRIECHISCHEN JÜNGLINGE

Der mächtig aufragende Rückenkontur des *Jünglings aus Attika*
(1) von rötlich-braun verwittertem Marmor und der im unver- *Taf. 7*
sehrten Weiß des Marmors strahlende, zartgliedrige «*Apoll*
von Tenea» *(2)* sind die ersten Bildwerke, die dem Besucher *Taf. 5*
beim Eintritt in den Saal I ins Auge fallen. Zugleich wird sein
Blick auch bis in den Saal II geführt, in dessen Mitte der kolossale
Satyr ruht: der sogenannte Barberinische Faun. Dort eine macht- *Taf. 9*
voll sich entladende, brandende Bewegung im plastischen Ausdruck; hier in den Statuen des ersten Saales gespanntes Ver-
harren, äußerste Beherrschung eines lebendigen Gefüges. Wir
überblicken in diesen Werken, die zu den bedeutendsten Denkmälern Griechenlands zählen, zwei Epochen der griechischen
Plastik: ihre frühe «archaische», und ihre gesteigerte «barocke»
Stufe.
Die beiden archaischen Jünglinge (1.2) bestimmen den ersten *Taf. 5*
Saal. Sie gehören zu den nur sehr selten ganz erhaltenen Stand-
bildern ihrer Art, und der nicht zutreffend als «Apoll von Tenea»

bekannte Jüngling aus der Gegend von Korinth (2) steht inner-
halb der frühen Bildkunst der korinthischen Landschaft bisher
noch einzigartig da.

«Frühgriechische Jünglinge: ein großes und feierliches, ein
befreiendes und beglückendes Wort tönt aus ihnen über die
Jahrhunderte zu uns herüber; ein reiner starker Klang, der ge-
sundet und erfrischt; wer ihn einmal in sich aufgenommen hat,
bleibt für immer von ihm berührt, befeuert, verwandelt.

Das Wort erscheint vielfach abgewandelt, erneuert, durchge-
formt und bleibt doch durch ein und ein halbes Jahrhundert
dasselbe; vom mittleren siebenten bis zum frühen fünften er-
heben sich in den griechischen Heiligtümern und Gräberstätten
diese Jünglingsstatuen einheitlichen Gepräges: nackt, mit vor-
gesetztem linken Bein aufrecht dastehend, die Arme gesenkt . . .
die Körper ohne Gegenbewegung geradeaus gerichtet, bei
äußerster Unbewegtheit von stärkster innerer Bewegtheit erfüllt,
auch das Haupt ohne Drehung und Neigung, aber mit strahlen-
dem Antlitz und den leuchtenden Blick frei versprühend,
Gestalten von ungebrochenem Leben, von tadelloser Schönheit und Brauchbarkeit . . . von morgendlicher Frische des
Seelischen durchströmt, göttlich in griechischem und jedem
Sinn.» So hat Ernst Buschor die Jünglingsstatuen der Frühzeit
gepriesen.

Die Jünglingsstatuen waren auf der Grabstätte mit ihrer Fuß-
platte in Sockelsteine eingelassen, die verloren sind. Auf ihnen
war der Name des Toten zu lesen, den die Statuen als über das
sterbliche Maß erhöhte Bildnisse vertraten; er konnte im Zusammenhang eines Grabgedichts, eines Epigramms, wiederholt sein, wie auch der Künstler der Statue sich selbst auf dem
Sockel nennen konnte. Als Beispiel seien zwei attische Epi-
gramme angeführt. Das erste steht auf dem Sockel einer nicht
weit von unserem großen Standbild gefundenen, gleichzeitigen
Jünglingsstatue (in Athen). Beide sprechen den am Grabe vor-
beigehenden Wanderer an:

«Bleibe stehen und klage vor dem Mal des toten Kroisos, den der
wilde Ares (der Kriegsgott) unter denen, die vorn kämpften, vernichtet hat.»

«Der Du das Denkmal des toten Kleoitas, des Sohns des Mene-
saichmos, schaust, klage, wie schön er war, da er starb.» (Grabpfeiler mit Darstellung des Toten in Relief oder Malerei).

Die Marmoroberfläche der korinthischen Jünglingsstatue (2) ist *Taf.*
von der vorzüglichsten Erhaltung, so daß an ihr die Meißelfüh-
rung des gleichsam noch «naiv schnitzenden» frühgriechischen
Marmorbildners zu beobachten ist. Aber die vorauszusetzenden
einstigen Farben sind doch gänzlich verblichen (alle antiken
Marmorskulpturen waren bemalt, doch sind nur selten Spuren
davon erhalten). Das Haupthaar, die Binden im Haar, die Augen
mit Iris und Pupille, die Lippen der Jünglingsstatuen waren durch
bunte Farben herausgehoben und ihr Schamhaar war allein
durch die Bemalung bezeichnet.

Der *Kopf (4)*, vielleicht der einer Sphinx, ist aus uns unbekannten
Gründen unvollendet geblieben. Der Bildhauer war in seiner
Arbeit auf der rechten Seite des Kopfes schon fortgeschritten,
während er die linke erst in der Grundform angelegt hatte. Doch
aus dem Innern des begonnenen Werks schimmert Lebendigkeit.
«Kein Stück der Oberfläche einer Figur kann geschaffen werden,
außer vom innersten Kern aus».

Die pointierte, anmutig-heitere Bewegung der tanzend schrei-
tenden Gestalten auf dem feinen *Weihrelief aus Paros (5)* läßt an
die frohsinnigen Chariten denken, die «Lieblichen», die oft
Aphrodite begleiten: Aglaia, Euphrosyne und Thalia. Die strenge
Ausrichtung der beiden im Profil und des dritten in Vorderan-
sicht gesehenen Mädchens ist für die frühgriechische Gruppen-
bildung bezeichnend.

Mit Bedacht steht im ersten Saal am Anfang des Rundgangs das
Bildnis Homers (3), des «Fürsten und Ahn» des Griechentums, *Taf.*
des ersten Gestalters der Götterwelt und des Mythos, aus dessen
Geist Dichtung wie bildende Kunst der Griechen immer von
neuem geschöpft haben. Das Werk geht auf ein statuarisches
Idealbildnis des 5. Jahrhunderts zurück, das man sich als schrei-
tenden, vielleicht im Saitenspiel begriffenen Sänger vorstellen
darf. Nur der Kopf ist in mehreren Kopien überliefert, von denen
die Münchner als die vortrefflichste gelten kann. Im Antlitz des
nach der Legende blinden Dichters spiegelt sich die Vision des
Sehers.

Bauglieder: Das ganz aus Ornamenten gestaltete *Bauglied vom
Erechtheion (8)* auf der Akropolis in Athen, eine prachtvolle *Taf. 8*
Meißelarbeit, die an getriebenes Zierwerk aus Metall erinnert,
bildete die Bekrönung der Tempelwand: Aus Spiralranken auf-
wachsende, alternierende Blattfächer; über diesem Palmetten-

fries, abgesetzt durch schmale «Perlstäbe», zwei Profile: ein
«Eierstab» und zuoberst ein Band von hängenden Blattzungen
(sogenanntes lesbisches Profil). – Von dem einst ganz mit
Marmorziegeln bedeckten Dach des Parthenon auf der Akropolis stammt die *Palmette (7)*; solche Palmetten schmückten
als Abschluß der ersten Deckziegel in fortlaufender Reihung den
Traufrand auf den Langseiten des Tempeldachs (vgl. die ent-
sprechenden «Stirnziegel» aus Marmor vom Dach des Tempels
in Ägina, Saal VIII: 2 und Abb. 15). – Auch das Dach des Apol-
lontempels von Bassä in Arkadien (Peloponnes) war ganz mit
Marmor gedeckt. Das Bruchstück mit einem *Palmettenfries (9)*
gehörte zum schrägaufsteigenden Dachrand über den Giebeln
des Tempels (vgl. das Dach des Tempels von Ägina, Abb. 15)

II SAAL DES FAUN

1 Der große schlafende Satyr, sogenannter Barberinischer Faun. Das Bildwerk des griechischen «Barock» befand sich nach seiner Auffindung im Palazzo Barberini in Rom. Um 220 v. Chr. (Tafel 9)

2 Medusenhaupt, sogenannte Medusa Rondanini (aus dem Palazzo Rondanini in Rom). Kopie nach einem Werk des Phidias (um 440 v. Chr.; Tafel 48)

3 Weihrelief mit ländlichem Heiligtum und Opferszene. Um 200 v. Chr. (Tafel 32)

4 Kleiner Kultpfeiler der Hekate («Hekateion»). Die Schutzgöttin von Haus und Hof in dreifacher Gestalt, von drei Chariten umtanzt. Attika, 3. Jahrhundert v. Chr.

5 Weihrelief mit zwei Pansfiguren; zwischen diesen eine Kiefer und ein Altar. Darüber Nymphenreigen und kleines Hekateion. Attika, 2. Jahrhundert n. Chr.

6 Bruchstück eines großen Weihreliefs. Felslandschaft mit einem sitzenden Gott oder Heros. Um 180 v. Chr.

Der Meister des *Satyrs (1)*, ein wahrhafter Michelangelo der *Taf.* griechischen Plastik, zählt zu den größten Bildhauern der europäischen Kunst. Er war vielleicht Athener. Ursprünglich wird das kolossale Bild eines in der Wildnis beheimateten Gesellen aus dem Gefolge des Dionysos als ein Weihgeschenk in einem Heiligtum des Gottes im Freien gestanden haben. Aufgefunden wurde es im 17. Jahrhundert unter Papst Urban VIII aus dem Haus der Barberini beim Ausbau der Befestigungen in der Ruine des Grabmals des römischen Kaisers Hadrian («Engelsburg» in Rom). Vermutlich ist der Satyr als ein aus Griechenland verschlepptes Kunstwerk in den benachbarten römischen Gärten aufgestellt gewesen.

Seit der Auffindung des großen «Barberinischen Faun» hat die geniale Gestaltung des an eine von einem Pantherfell bedeckte Felskuppe gelehnten und im Rausch entrückt träumenden Wildlings mit dem Roßschweif stets die höchste Bewunderung erfahren. Bei seinem Anblick «glaubt man, ihn tief atmen zu hören, zu sehen, wie der Wein ihm die Adern schwellt, die erregten Pulse schlagen». Ein derbes Gesicht, im struppigen Haar ein Kranz mit

Blättern und Früchten des Efeus, die Brauen zusammengewachsen, der Mund halb offen. Sein linker Arm hing schlaff herab; in dem rechten zurückgenommenen Arm klingt noch die Bewegung des eben erst in Schlaf gesunkenen Dämons nach. Der Künstler, «einer der größten der Antike, hat in diesem Träumer gleichsam das Strömen überpersönlichen, naturhaften Seins, ja geradezu dionysisches Urleben festgehalten».

In römischer Zeit hat das Standbild erste Eingriffe erfahren: Bohrung eines rohen Lochs für ein Brunnenrohr; Überarbeitung des Felsens auf der vom Beschauer aus rechten Seite. Nach der Auffindung wurde für einen Sockel die Rückseite des Marmorblocks flach abgeschrägt und der Felssitz erneut abgespitzt (die ursprüngliche Felsoberfläche nur links hinten erhalten), sodann auch – ohne Verletzung des Originals – die vermißten Teile der Figur in Gips ergänzt (von Giuseppe Giorgetti und Lorenzo Ottone). Erst im späten 18. Jahrhundert hat Vicenzo Pacetti die alten Bruchflächen der Beine für seine Ergänzungen abgemeißelt (das rechte Bein, das den Stil des griechischen Bildwerks verfehlt, ist von Pacetti gearbeitet).

af. 32 Das schöne *Weihrelief (3)* mit der bezaubernden Szene in einem von einer großen Platane beschatteten Heiligtum ist als «Münchner Weihrelief» bekannt. In dem von Pfeilern, Gebälk und Ziegeldach eingefaßten Schaubild liegt der Duft des Sommers, vollzieht sich frommes Handeln in atmender Stille. Ein im Geäst der Platane befestigtes und gespanntes Tuch bildet den schützenden Hintergrund des Götterpaars mit seinen langen Zeptern. Der würdige Herr der geweihten Stätte – wohl ein Heilsgott, vielleicht Asklepios – thront auf einem Prunksitz, geschmückt mit einem bocksgehörnten Flügellöwen; vor ihm steht seine göttliche Gefährtin, auf einen Pfeiler gestützt. Neben dem mit einer Binde umschlungenen Baumstamm ein hohes Postament mit den altertümlichen Kultbildern (Gott und Göttin). In der Mitte der Altar mit einer opfernden Familie, mit dem Vater, der in einen Opferkorb greift, mit Sohn und Mutter; ein kleines Kind schleppt einen zweiten verhüllten Korb. Weitere Angehörige folgen, kleine Kinder und zwei Frauen, die eine mit einem Sonnenhut.

Auf der Oberseite des «*Hekateion*» *(4)* befindet sich das Loch für einen Metallstift, der eine Opferschale gehalten haben wird. Die kleinen Kultpfeiler der Schutzgöttin Hekate standen oft vor den Türen der Wohnhäuser. Am Eingang der

Akropolis von Athen wurde Hekate zusammen mit den Chariten verehrt.

Großes *Weihrelief (6)*, Bruchstück mit rechter Begrenzung. Auf der Stufe einer Felslandschaft sitzt ein Gott oder Heros der Jagd. Hinter ihm der knotige Stamm eines großen Baumes. Rechts in einer Buchtung der Felswand ein Jagdhund und auf der Höhe ein Pfeiler (an dem anscheinend ein erlegtes Wild hängt). Er bezeichnete wohl das altertümliche Kultmal der ländlichen Kultstätte.

Medusenhaupt (2). Die Medusa aus dem Palazzo Rondanini hat *Taf.* Goethe, der in Rom gegenüber dem Palast Quartier bezogen hatte, wiederholt bewundert. Goethe spricht von dem «einer mythischen Urzeit angehörigen Kunstwerk», von dem «wundersamen Werk, das den Zwiespalt zwischen Tod und Leben» zeigt, von der «hohen und schönen Gesichtsform» und der «unaussprechlichen und unnachahmlichen» Großheit des Mundes. Die «Medusa Rondanini» ist die vorzüglichste von sechs erhaltenen Kopien aus der römischen Kaiserzeit nach dem Medusenhaupt auf dem Schild der Parthenos, der Kultstatue der Stadtgöttin von Athen. Die Athenastatue im Parthenon, ein Hauptwerk des größten Künstlers der klassischen Epoche, war von kolossalem Ausmaß und in Elfenbein und Gold gearbeitet: die unbekleideten Partien (wie Antlitz und Arme) aus Elfenbein; die übrigen Teile der Oberfläche (Kleidung, Helm) aus getriebenem Goldblech. Wohl aus Bronze bestand der große, über 4 m hohe Schild der Göttin, der senkrecht auf dem Boden aufruhte, und dessen Mitte die von zwei verknoteten Schlangenleibern umschlungene und geflügelte Schreckmaske der Medusa einnahm. Die freie Fläche des Schilds war im Relief mit mythischen Kampfszenen geschmückt, die wie das Medusenhaupt im gleichen Maßstab kopiert worden sind.

III SAAL DES DIOMEDES

1 Diomedes, Heros der Sage von Troja. Kopie nach einer Statue von Kresilas (um 430 v. Chr.; Tafel 6)
2 Gott oder Heros, Kopie (um 440 v. Chr.)
3 Torso, Apollon. Kopie, vermutlich nach einer Statue des Onatas von Ägina (um 460 v. Chr.)
4 Torso, Apollon. Kopie nach einer Statue von Polyklet (um 420 v. Chr.)
5 Statue eines Knaben, Kopie, Bildhauerschule des Polyklet (um 410 v. Chr.; Tafel 10)
6 Jünglingskopf aus Basalt. Kopie nach einer Statue (um 460 v. Chr.)
7 Jünglingskopf aus Bronze. Römische Nachahmung im klassischen Stil (um Christi Geburt; Tafel 14)
8 Jünglingskopf. Kopie nach einer Statue (460/450 v. Chr.)
9 Kopf des Ares. Kopie nach einer Kultstatue des Alkamenes (430/420 v. Chr.)
10 Kopf eines Gottes oder Heros, Kopie (440/430 v. Chr.)
11 Kopf des Asklepios. Kopie nach einer Statue des Gottes (420/410 v. Chr.)
12 Athena. Torso eines kleinen originalen Standbildes, um 440 v. Chr.
13 Frauentorso. Freie Kopie des 1. Jahrhunderts n. Chr. nach der Statue einer Göttin (420/400 v. Chr.)
14 Torso der Aphrodite mit Ziegenfell. Nachbildung einer Statue aus Epidauros (380/370 v. Chr.)
15 Athena, Büste. Kopie, vermutlich nach einer Kultstatue des Kresilas (430/420 v. Chr., Tafel 16)

Wir erreichen im Westtrakt der Glyptothek eine Folge von vier Sälen (Saal III bis VI) mit griechischen *Skulpturen der «klassischen Epoche»* (5. und 4. Jahrhundert v. Chr.). In den Sälen III und V statuarische Werke, vorwiegend in Kopien aus der Zeit der Herrschaft Roms über Griechenland (vgl. Karte von Griechenand und Rom, Abb. 1).
Die Statuen der großen griechischen Meister der «Klassik», die in Heiligtümern und auf Staatsmärkten aufgestellt und in Marmor gemeißelt oder aus Bronze gegossen waren, sind – von ge-

zählten Ausnahmen abgesehen – zugrunde gegangen. Viele sind uns jedoch durch die rege Kopistentätigkeit der späteren Jahrhunderte des Altertums, vor allem aus den Jahrhunderten der römischen Kaiserzeit überliefert. Ohne diese Überlieferung hätten wir vom Schaffen der meisten führenden Bildhauer des 5. und 4. Jahrhunderts nur dürftige Kenntnisse aus literarischen Erwähnungen oder kurzen Beschreibungen, und unserem Auge wäre die Vorstellung versagt. Wir wüßten nichts von der Erscheinung auch nur eines der zahlreichen Standbilder, die im 5. Jahrhundert der berühmte Polyklet oder der Athener Phidias geschaffen haben, könnten uns kaum ein Bild vom Werk des Phidiasschülers Alkamenes machen, und das Werk eines Kresilas oder anderer zeitgenössischer Künstler wäre uns ganz verschlossen. Die Kopien gewähren uns einen unschätzbaren Einblick in den einstigen Reichtum und die Entfaltung der klassischen Plastik – obschon nur im Ausschnitt und in Spiegelungen, die das Vorbild in unterschiedlicher Treue wiedergeben. Die originalen klassischen Statuen wurden nicht nur kopiert, sie haben auch in Anlehnung an den bewunderten Stil der großen Bildhauerkunst aus Griechenland zu vielfältigen Abwandlungen und zu freien Nachahmungen angeregt. (Die Künstler, die die Originale geschaffen haben, sind oft umstritten oder nicht zu benennen).

Unter den Bildwerken begegnet in der Statue des Diomedes (1), *Taf. 6* nach der der dritte Saal benannt ist, in den beiden Torsen von Apollonstatuen (3, 4) und einem großen Standbild (2) die nackte männliche Gestalt, das zentrale Thema der griechischen Kunst, das auch in den archaischen Grabstatuen des ersten Saals (I: 1 und 2) dargestellt ist. Von dem großen Jüngling des 6. Jahr- *Taf. 5* hunderts aus Attika ist der eine Apollon (Torso 3; nach Original um 460 v. Chr.) ungefähr durch zwei Generationen getrennt. Zwei bis vier Jahrzehnte später sind der bärtige Gott oder Heros (2; nach Original um 440), der zweite Apollon (Torso 4; nach Original um 420) und der Diomedes geschaffen worden (1; nach Original um 430). Eine Welt scheint die Statuen des 5. Jahrhunderts von denen des 6. zu scheiden, obschon diese und jene Standbilder in ihrer Geist- und Lebensfülle als unverwechselbare «Griechen», als Brüder gleichen Stammes auf das engste zusammengehören. – Der Wandel, der sich in der griechischen Kunst am Beginn des 5. Jahrhunderts vollzieht, das Herauswachsen der Gestalt aus einer übergeordneten Bindung und Abrundung in sich selbst, ist von größter Tragweite. Das Gesetz, dem die plastische Gestalt bis dahin gehorchte, wird aufgehoben, der Rahmen gesprengt, in den die Figur gleichsam wie von außen her eingespannt, von dem sie gehalten war und in dem sie gesichert erschien; ihre in einer äußeren Unbeweglichkeit keimhaft enthaltene «innere Bewegtheit» wird gelöst und befreit. Die Umsetzung und Neuordnung, eine unerhörte Vertiefung der künstlerischen Aussage – ein Vorgang, der auch an den Giebelgruppen des Tempels von Ägina anschaulich wird (Seite 67 f.) – bedeutete die Aufhebung der eindeutigen, freudigen Urlebendigkeit, die uns aus den frühen Jünglingen entgegenstrahlt. Die klassische Gestalt ruht nicht mehr in sich wie die der Frühzeit. Ein neuer Ernst erfaßt Gestalt und Antlitz. An die Stelle der leicht aufstrebenden Vertikalität und des gleichgerichteten Aufbaus tritt ein Reichtum sich kreuzender und ineinandergreifender Bewegungsimpulse – Ballung, Dehnung und Torsion im Wuchs des Leibes, ein Senken und Heben der Schultern, die Verschiebung in der Hüfte, die Gelöstheit der Beine und Arme, freie Wendung und Neigung des Hauptes. Es ist vor allem ein Bewußtwerden des Schwergewichts, des äußeren und des inneren Schwergewichts, das die Gestalt in ihrer neuen Statik bestimmt, die nun aus eigener Mitte sich selbst regiert, mit der Bürde des Leibes sich auseinandersetzt und diese durch Gegenbewegung auffängt, sich im Raum entfaltet und zu ihm in Bezug tritt. Das wird zumal im Stand der «klassischen» Figur, im Widerspiel zwischen dem belasteten, auf dem Boden «stehenden» und dem entlasteten Bein anschaulich (Standbild 2); und dieser rhythmische «Dialog» von Last und Freiheit überträgt sich auf die ganze Gestalt bis zur Bewegung des Hauptes.

Torso des Apollon (3). Die z. T. ergänzte Skizze nach vollständig erhaltenen Kopien des Standbildes (Abb. 4) vermittelt eine Vorstellung von der ganzen Gestalt des jugendlichen Gottes. Apollon hielt in der angehobenen Linken Pfeil und Bogen, in der gesenkten rechten Hand einen Zweig des ihm heiligen Lorbeers. Auch am Torso ist an den Verschiebungen des Körpers die Art des Stehens abzulesen. Die im späteren Altertum oft kopierte Statue ist wohl ein Spätwerk des schon in den ersten Jahrzehnten des 5. Jahrhunderts wirkenden äginetischen Bildhauers Onatas.

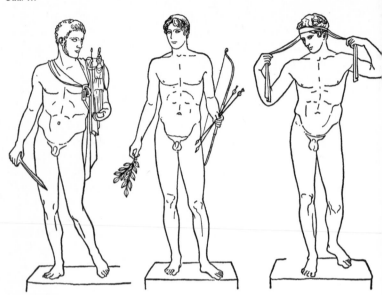

3–5. Diomedes (Saal III: 1), Apollonstatuen (Saal III: 3 und 4)

Ein Hauptwerk des Polyklet, des großen klassischen Bildhauers aus Argos, der auch eine Schrift («Kanon») über die Proportionen des menschlichen Körpers verfaßt hat, ist die Statue des *Apollon (4)*, die in späteren antiken Erwähnungen nach dem Motiv als «Diadumenos», als einer, der sich eine Binde anlegt, benannt ist. Vielleicht war das berühmte Werk auf dem Marktplatz von Athen in der Nähe des Arestempels aufgestellt (nach anderen Kopien z.T. ergänzte Skizze: Abb. 5). Während der Apollontorso 3 in seinem Körperbau strenger, in der Bewegung schwerflüssiger ist, entfaltet sich die Gestalt des Diadumenos in einer durchgehenden, schwingenden Kurve. Sie ist auch in den Teilen reicher belebt. Mit breit gespannten Armen hielt der Gott die beiden Enden der Binde. Von dem berühmtesten Werk des Polyklet, seinem als Doryphoros (Speerträger) bekannten Achilleus, steht im Treppenhaus der Universität München ein eindrucksvoller moderner Nachguß in Bronze.

Kaum nach einer späten Schöpfung des Polyklet, aber wahrscheinlich nach einem Werk aus seiner Schule oder unmittel-

Taf. 10 baren Nachfolge ist das anmutige *Standbild eines Knaben (5)*,
eines Siegers im Knabenwettkampf, kopiert: ein ermüdet sinnen-
der Knabe, der sich mit dem linken Arm auf einen Pfeiler stützte.
Mit aller Zuversicht wird in der oft kopierten und in der Glyptothek
in einer besonders vortrefflichen Kopie überlieferten *Statue des*
Taf. 6 *Diomedes (1)* eine Arbeit des Kresilas erkannt, der aus der im
6. Jahrhundert von Ägina eroberten und neu besiedelten Stadt
Kydonia auf Kreta stammte und in Athen im Kreise um Phidias
gewirkt hat. Zu seinen berühmtesten Werken zählte eine Bildnisstatue des athenischen Staatsmannes Perikles auf der Akropolis
von Athen. In dem einst in Argos aufgestellten Standbild des
Diomedes ist der griechische Fürst der Sage von Troja mit ge-
zücktem Schwert in der rechten Hand, in heftig entschlossener
Wendung nach seiner Linken dargestellt (ergänzende Skizze:
Abb. 3). In der angehobenen linken Faust hielt Diomedes das
kleine Kultidol der troischen Göttin (Athena), das er nach der
Sage bei der Eroberung der Stadt an sich gerissen hatte und
gegen Odysseus zu verteidigen bereit war. In der erregten Wendung des Diomedes und an seinem abweisenden Blick glaubt
man zu sehen, daß der Sagenstoff in einer Gruppe vorgestellt
war und der Künstler den Augenblick der höchsten Spannung
zwischen den beiden Widersachern erfaßt hatte.

Zu einer Gruppe gehört wahrscheinlich auch das große *Standbild (2)* eines nach seiner Linken gewendeten Gottes oder Heros.
Eine Zutat des Kopisten ist die Stütze in Form eines Baum-
stumpfs. Die stark angehobene linke Hand hielt zweifellos ein
Attribut und die gesenkte rechte wird ein Lanzenpaar gehalten
haben (Spuren am Sockel und Oberschenkel).

Taf. 14 Der schöne *Jünglingskopf aus Bronze (7)* mit einer im Nacken
verknoteten und vielleicht ehemals mit Silberintarsien verzierten
Binde im Haar, hatte – wie die Spuren zeigen – vergoldete Lippen.
Bei der Auffindung des Kopfes im 18. Jahrhundert war auch die
ganze Figur des nackten Jünglings entdeckt worden; sie wurde
zerstört. Erst später sind die eingesetzten Augen aus Silber mit
Pupillen aus Granat verloren gegangen. Der Bronzekopf ist keine
getreue Kopie eines bestimmten griechischen Vorbildes, sondern
die römische Schöpfung einer Epoche, die ganz bewußt bestrebt
war, die strenge Harmonie klassischer Werke wiederzugewinnen.
Das große, dunkel blickende Haupt des Kriegsgottes *Ares (9)*
trägt einen reich verzierten Helm mit geflügelten Greifen, Volu-

6–7. Ares (Saal III: 9), Athena (Saal III: 15)

ten, Palmetten und kleinen Hunden; die Stütze des Helmbusches
bildete eine Sphinx (Skizze zur ganzen Statue nach einer Kopie
im Louvre, Paris: Abb. 6). Das von einem der bedeutendsten
athenischen Bildhauer aus der zweiten Hälfte des 5. Jahrhunderts,
dem Phidiasschüler Alkamenes, gearbeitete Kultbild des Gottes
stand im Arestempel am Marktplatz von Athen.
Alkamenes hat vermutlich auch die Statue eines Heros oder Gottes (Zeus?) gearbeitet, nach der der *bärtige Kopf (10)* kopiert ist;
er war ehemals mit einem Schaft verbunden (Herme).
Die große *Büste der Göttin Athena (15)* ist vermutlich nach einem
kolossalen Kultbild in Athen von der Hand des Kresilas und, wie   *Taf. 16*
die Form der Büste anzeigt, im 2. Jahrhundert n. Chr. kopiert
(Skizze nach einer Kopie der ganzen Statue im Louvre, Paris:
Abb. 7). Der nach hinten in das lockige Haupthaar zurückgescho-

bene Helm (ursprünglich mit einem Helmbusch, den eine geringelte Schlange trug) hat die schlichte «korinthische» Form mit Ausschnitten für die Augen und mit Nasen- und Wangenschutz. Die verlorenen Augen der Göttin waren aus farbigem Stoff eingelegt. Um den Nacken trägt Athena die Ägis, ihre mythische, mit verknoteten Schlangen gesäumte Schutz- und Schreckwaffe wie einen schmalen, schmückenden Umhang, den vorn ein altertümliches Medusenhaupt als Agraffe zusammenhält. «Die von der Poesie der Griechen ausgebildete Vorstellung von der Göttin Athena als der sinnenden und denkenden ... Jungfrau, der Beschützerin und Freundin aller Tapferen, Edeln und Klugen ist wohl in keinem anderen ihrer zahlreichen Bilder so klar und rein zum Ausdruck gekommen wie in diesem» (Adolf Furtwängler).

Ein originales, frisch gemeißeltes Werk ist die in einem kleinen Torso erhaltene *Statue der Athena (12)*. Die Göttin wird mit der angehobenen Rechten ihre aufgestützte Lanze gehalten haben; der linke Arm war gesenkt und um die Hand die Ägis geschlungen, von der sich ein Bruchstück mit dem Rest einer der Schlangen erhalten hat. Wie manches griechische Original in altem italienischen Besitz ist das kleine Standbild durch die Venezianer aus dem Osten gebracht worden (ehemals im Palazzo Giustiniani-Recanati in Venedig).

IV SAAL DER MNESARETE

1 Grabrelief der Mnesarete. Attika, um 380 v. Chr. (Tafel 19)
2 Zwei weibliche Panther. Attika, um 380 v. Chr.
3 Grabpfeiler der Xenokrateia. Attika, um 350 v. Chr.
4 Statue eines trauernden Mädchens, von einer Grabstätte. Attika, um 360 v. Chr.
5 Statue eines Mädchens mit Taube, aus einem Heiligtum. Attika, um 310 v. Chr.
6 Grabrelief der Plangon. Athen, 320/310 v. Chr.
7 Grabstein der Paramythion mit Reliefdarstellung eines Gefäßes. Athen, 370/360 v. Chr.
8 Grabstein des Seesoldaten Demetrios. Aus Panderma bei Kyzikos, Marmara-Meer. Um 370 v. Chr.
9 Relief mit einem jungen Athleten, der seinem Speer nachblickt. Von einer Statuenbasis mit Darstellung von Wettkämpfen (rechts modern abgesägt). Attika, um 320 v. Chr.
10 Lekythos, Grabmal einer Frau (in Form eines Salbgefäßes), sich die Hand reichendes Paar. Attika, um 375 v. Chr. (Tafel 18)
11 Lekythos, Grabmal des Kriegers Philon. Attika, um 400 v. Chr.
12 Lekythos. Eine Frau zeigt der verstorbenen Mutter ihr Kind. Attika, um 390 v. Chr.

Im Saal IV betreten wir den ersten von zwei Räumen, in denen vorwiegend *klassische Grabmonumente* aus Athen und der Umgebung von Athen aufgestellt sind (zweiter Saal mit Grabmonumenten: Saal VI).

Das große Relief der Mnesarete (1), das den Saal IV beherrscht, *Taf.19* zählt zu den schönsten Denkmälern der attischen Grabkunst des 4. Jahrhunderts v. Chr., die der Nachwelt erhalten geblieben sind; und das Grabmal in Gestalt eines Gefäßes mit dem Reliefbild eines Paares (Lekythos 10) ist einzigartig: es gibt kein zweites *Taf. 18* von gleichem Rang.

Der klassischen Grabkunst von Athen, die nach einer staatlich auferlegten Beschränkung (Gesetz gegen den Aufwand im Grabkult) im Verlauf der zweiten Hälfte des 5. Jahrhunderts v. Chr. aufblühte und die am Ausgang des 4. Jahrhunderts durch erneutes Eingreifen des Staates wieder erlosch, steht in anderen grie-

chischen Landschaften nichts von ebenbürtiger Bedeutung und
gleichem Reichtum gegenüber.

Am gewichtigsten sind die großen *Reliefplatten*, die – wie das
af. 19 Grabmal der Mnesarete (1) – von bedeutenden Künstlern gemeißelt sind und auch von Bildhauern geschaffen sein konnten,
die sonst vor allem außerhalb der Grabkunst tätig waren: Es wird
berichtet, daß einer der größten athenischen Marmorbildner des
4. Jahrhunderts, Praxiteles, Grabmäler gearbeitet habe. Die großen Reliefmonumente werden von kleineren verschiedenen For-
mats begleitet (Grabstein der Plangon 6); oft erscheint auf dem
gestreckten Schaft der Grabplatte nur ein bescheidenes Bildfeld
wie auf dem ostgriechischen Grabstein des Demetrios (vgl. eine
zeichnerische Darstellung von Grabstätten attischer Familien:
Abb. 12 und 13).

Der hohe, flache, bildlose und von pflanzlichen Ornamenten bekrönte *Pfeiler* (Beispiel: Grabmal der Xenokrateia 3) wurde anscheinend oft bei der Neuanlage einer Familiengrabstätte als zen-
trales Denkmal aufgerichtet, um das sich weitere Grabsteine
gruppierten (Abb. 13). Zumal diese Pfeiler, doch auch andere
Grabmäler, dienten nicht selten noch später verstorbenen Angehörigen des Toten als Mal. Aber auch der einzelne Tote konnte
in mehreren Denkmälern geehrt sein (z. B. in einem bildlosen
Pfeiler und zugleich einer Grabplatte mit figürlicher Darstellung).

Die *Grabsteine in Gefäßform* (Gefäße werden auch im Relief dargestellt: Grabstein der Paramythion 7) waren oft neben dem
Hauptmonument als zusätzliches Mal oder in Familiengrabstätten
paarweise und symmetrisch zu ihrer seitlichen Begrenzung aufgestellt (sie wurden daher mitunter «Grenzsteine» genannt). Das
gilt ähnlich für die Tierfiguren, für Panther (ein Paar weiblicher
Panther: 2), für Löwen und Hunde (ein Jagdhund im Saal VI: 2)
oder für überirdische Lebewesen wie Sirenen (vgl. Seite 44), die
zu Paaren angeordnet die Grabstätte einfaßten und bewachten.
Auch Figuren Trauernder, wie das eine kleine bekümmerte Mädchen (4), das sicher eine Gegenfigur hatte, wie seine Haltung
zeigt, standen neben Grabdenkmälern. Die bevorzugten Gefäß-
monumente sind die «Lekythos» und die «Lutrophoros»: Die
große Steinlekythos ist das Abbild der tönernen Fläschchen des
Grabkults, die das Öl enthielten, mit dem die Verstorbenen und
mit dem auch bei wiederholten frommen Begehungen am Grab

die Grabsteine selbst gesalbt wurden, da sie die Toten vertraten. Man legte die kleinen Lekythen dem Toten mit ins Grab oder stellte sie hin auf die Stufen des Mals. Das im Hochzeitsritus verwendete Gefäß für Badewasser, die Lutrophoros, wurde als Steindenkmal zum Trost denen am Grabe aufgestellt, die unvermählt starben.

Eingemeißelte oder nur aufgemalte, jetzt verblichene Inschriften nennen auf den Grabsteinen die Namen der Toten. Oft sind auch der Name des Vaters, seine Herkunft und die Namen der mit den Verstorbenen im Bilde dargestellten Angehörigen angegeben; und der Toten konnte in Epigrammen (Grabgedichten) gedacht sein, zu deren Verfassern mitunter angesehene Dichter gezählt haben. Von der einstigen Bemalung der Grabmäler, des Hintergrunds der Bildfläche, der Umrahmung der Grabplatte, der figürlichen und ornamentalen Darstellungen, zeugen heute nurmehr selten geringe Farbreste oder Verwitterungsspuren (siehe Grabstein der Paramythion: 7).

Die *Darstellungen auf den Grabmälern* sind, von seltenen Ausnahmen abgesehen, Bilder des Lebens, nicht des Jenseits, nicht des Todesfalls. Die Toten sind dargestellt, wie sie im Leben waren: Die verstorbene Frau auf dem Stuhl ihres Gemachs in Gegenwart eines jungen Mädchens (1), mit ihrer Dienerin, die das Gerät des Alltags trägt (Saal VI: 4) oder mit der Amme, die ihr Kind hält (12). Die Toten erscheinen oft mit ihren Nächsten durch Handschlag innig verbunden – die tote Frau mit ihrem Mann (10), der tote Sohn mit seinem Vater (Saal VI: 3). Oder wir sehen sie im Kreise ihrer Familie, das Ehepaar mit dem Ahn, mit den Kindern und der Wärterin (Saal VI: 9). Das kleine Mädchen steht vor uns mit seinem Spielzeug, wie es lebend im Hof des Hauses dastand (6). Der junge, jagdgeübte Mann rastet in der freien Natur auf einem Felsen, begleitet von seinem Hunde (Saal VI: 1). – «Die Grabmäler sind herzlich und rührend und stellen immer das Leben her ... Der Künstler hat ... nur die einfache Gegenwart des Menschen hingestellt, ihre Existenz dadurch fortgesetzt und bleibend gemacht.» – Und doch sind diese dichten Lebensbilder von einer verhaltenen Wehmut beschattet. Im Beisammensein des Verstorbenen und seiner Angehörigen schwingt immer wieder die Ahnung des Geschiedenseins mit, und die Gemeinschaft des Lebens ist in eine Sphäre der Unwirklichkeit gerückt. Der von den Seinen begleitete Verstorbene ist dem aufmerksamen Betrachter wohl immer unverkennbar gewesen; der Tote ist die in ihrer Haltung und Gestimmtheit wie ermattet in sich gekehrte oder entrückte Gestalt, die, die weniger gegenwärtig ist. Und wer mit dem Toten im Bild wie im Alltag vereint ist, ist von verhaltener Trauer um den Geschiedenen berührt.

Taf. 19 *Grabrelief der Mnesarete (1).* Mnesarete sitzt gesenkten Hauptes auf einem Stuhl mit zierlich gedrechselten Beinen, die Füße auf einen wohlgeformten Schemel gestützt. Mit der Rechten hat sie den Saum ihres Mantels erfaßt, als wolle sie sich verhüllen. Ein junges Mädchen steht mit verschränkten Händen vor ihr. Tiefste Stille umgibt die beiden Gestalten, die in schweigsamer, ganz dem Bereich der Seele angehörender «Zwiesprache» verbunden sind. Der Grabstein nennt auf dem Gesims des bekrönenden Giebels den Namen der Verstorbenen: «Mnesarete, (die Tochter) des Sokrates». Auf dem von Pfeilern getragenen Gebälk der großen Platte steht ein Epigramm: «Diese ließ ihren Mann zurück und Geschwister, und der Mutter den Schmerz, auch ihr Kind und nicht alternden Ruf großer Tugend. Hier (im Grab) hält Persephones Gemach Mnesarete umfangen, die zum Ziel jeglicher Tugend gelangte.» – Das Gedicht, das zweimal die Tugend der Mnesarete preist (der Sinn ihres Namens ist «Die auf Tugend Bedachte»), spricht auch von dem Hause der Unterwelt, in dem die Totengötter, Hades und Persephone, wohnen und herrschen und zu dem die Toten hingehen.

Die beiden weiblichen *Panther (2)* sind zusammen mit dem Grabrelief der Mnesarete entdeckt worden. Sie werden zu beiden Seiten auf den Ecken einer Mauer gestanden haben, mit der die Grabstätte – wahrscheinlich die einer Familie mit mehreren Gräbern und Grabmonumenten – eingefaßt war (vgl. Seite 42 und Abb. 12 und 13). Die starken Bilder der fremden wilden Tiere behüteten den geheiligten Ort.

Den *Grabpfeiler der Xenokrateia (3)* bekrönt ein in feinem Relief gearbeitetes und ehemals mit bunten Farben bemaltes Gewächs mit sich windendem Geäst und geschwungenen Blattfächern; auf dem Reliefgrund sind kleine Blumen und eine Knospe eingestreut. Unter dem Gesims des Pfeilers die Inschrift «Xenokrateia, Tochter des Eukleides aus Oie» (Oie ist eine Gemeinde in Attika). Die beiden Scheiben unterhalb der Inschrift sind ehemals farbig gegliederte Blüten. In der Höhe des Bruchs trägt der Pfeiler den

Rest des Namens eines «Eukleides», wohl des später verstorbenen Vaters der Xenokrateia.

Grabrelief der Plangon (6). Das kleine Mädchen in hochgegürtetem Gewand, mit dem nicht alltäglichen, so festlichen Diadem im Haar, einem Püppchen in der rechten Hand und einem kleinen Vogel in der linken hieß Plangon, «Puppe». An der Reliefwand hängt Spielgerät: ein Säckchen des Würfelspiels und ein unerklärter zweiter Gegenstand. Das weibliche Püppchen, das die Neugier einer vor dem Kinde stehenden Gans erweckt, ist eines der kleinen Götterfigürchen, mit denen die frommen griechischen Kinder spielend sich beschäftigten.

Grabrelief der Paramythion (7). Verwitterungsspuren und Pigmente zeugen von der einst reichen Bemalung des Grabsteins (Abb. 8 nach Aufnahmen des Doerner Instituts, München; vgl. auch die Tafel neben dem Grabstein. Die jetzt am Marmor sichtbaren helleren Partien waren farbig gedeckt). Auf dem Körper der Lutrophoros (siehe oben Seite 31) ein Bildfeld mit zwei Gestalten, links der Paramythion, die sich zu verhüllen scheint, und des Pheidiades, deren Namen am oberen Rande eingemeißelt sind. Das Gefäß ist u. a. mit einem Blattkelch, einem Mäander, auf der Schulter mit hängenden Blattzungen und auf dem schlanken Hals mit einem Rankengeschlinge verziert. Zwei aufgerollte Binden («Tänien») hängen links oben am Reliefgrund und eine Binde ist durch die gemalte Spiralwindung des hohen Henkels der Lutrophoros geschlungen. Zwei aufgerollte Tänien liegen auch am Boden, und vor diesen stehen zwei schlauchförmige Salbfläschchen: Vor der Grablegung wurden die Toten nicht nur gesalbt, sondern auch mit Tänien geschmückt, und die gleiche Handlung wurde an ihren Grabmälern vollzogen. Ein Blattornament bildet die obere Begrenzung der Grabplatte, eine Palmette mit Spiralen die Bekrönung.

Auf dem ostgriechischen *Grabstein (8)* «des Demetrios, des Sohnes des Alexes» ist der gefallene Seesoldat auf der Brücke eines Kriegsschiffes kämpfend dargestellt; von dem Schiff erscheint nur das vordere Drittel mit Rammsporn, Bugzier und Reeling. Unter dem kleinen, unten gebrochenen Relief zwei Wortanfänge eines Grabgedichts: «Unter denen, die ... als Vorkämpfer ...»

Auf der edlen *Lekythos (10)* mit dem unvergleichlich zarten und   *Taf. 18* verinnerlichten Bild ist die Tote die verschleierte Frau, der der

8. Grabstein der Paramythion (Saal IV: 7).
Zeichnerische Darstellung der ehemaligen Bemalung des Grabsteins

Blick des Mannes gilt. Sie neigt ihr Haupt, ihr Blick führt an dem Mann vorbei, wie sich auch ihre Hand um die dargebotene Hand nicht schließt. Über der plastisch gearbeiteten Standfläche der Figuren war das Bildfeld durch Bemalung abgesetzt; ein breites gemaltes Ornamentband lief unter dem Schulterknick des Gefäßes hin. Auch der Stock, auf den sich der Mann mit seiner vom Mantel umschlungenen Linken stützte und andere Einzelheiten waren farbig ausgeführt.

V SAAL DER EIRENE

1 Friedensgöttin Eirene, Kopie nach einer Statue von Kephisodot (um 370 v. Chr.; Tafel 17)
2 Silen mit dem Knaben Dionysos, Kopie (310/300 v. Chr.)
3 Statue eines Athleten, Kopie (360/350 v. Chr.; Tafel 13)
4 Torso eines knienden Jünglings, um 300 v. Chr. (Tafel 11)
5 Toter Sohn der Niobe, Kopie (um 320 v. Chr.)
6 Kopf des Ares. Kopie vermutlich nach einer Statue von Lysipp (um 330 v. Chr.)
7 Kopf der Statue eines Athleten? 310/300 v. Chr.
8 Kopf einer Frauenstatue. Ostgriechisch, 300/280 v. Chr. (Tafel 15)
9 Aphrodite. Freie Kopie nach einer Statue von Praxiteles (350/340 v. Chr.)
10 Kopf einer Statue der Aphrodite, 300/290 v. Chr. (Tafel 12)
11 Knabenkopf (Eros?). Um 280 v. Chr.
12 Zwei Kopien nach der Statue eines Satyrs von Praxiteles (um 320 v. Chr.)
13 Kopf des «Pan», sogenannter Winckelmannscher Faun (ehemals im Besitz von J. J. Winckelmann). Kopie nach der Statue eines Athleten (um 390 v. Chr.). Panshörnchen modern
14 Kopf einer Frauenstatue. Attisch, um 310 v. Chr.
15 Frauenkopf (Muse?). Kopie nach einer Statue (um 180 v. Chr.)
16 Frauenkopf. Kopie, vermutlich nach einer Statue der Sappho von Silanion (340/330 v. Chr.)
17 Torso der Artemis. Freie Kopie nach einer Statue von Praxiteles (360/350 v. Chr.)

Im Saal V sind vornehmlich *statuarische Werke aus dem 4. Jahrhundert v. Chr.* ausgestellt (Kopien und auch Originale). Begegnete im Saal III das Menschenbild der frühen und reifen klassischen Epoche, so ist es in diesem Saal das der späten Klassik. Wir kommen her von den Apollontorsen (III: 3 und 4) oder vom Diomedes (III: 1) und treten vor die Statue eines Wettkämpfers in der Mitte des Saals V (3); oder wir kommen vom Kopf des Ares nach einer von Alkamenes gearbeiteten Statue (III: 9) und betrachten hier einen Kopf desselben Gottes, der

vermutlich nach einer Statue kopiert ist, die einer der großen
Meister des 4. Jahrhunderts, Lysipp, geschaffen hat (V: 6). – Die
starke physische Norm des 5. Jahrhunderts ist aufgelöst, das
strenge Maß und Gesetz, das Leib und Antlitz der Gestalten des
5. Jahrhunderts geformt hatte, aufgelockert. In einer neuen Entfaltung des Menschlichen erschließen sich seelische Bereiche,
die aufleuchten und verströmen. Die Gestalten erscheinen jetzt
wie in ein Silberlicht getaucht und verklärt; sie sind «unwirk-
licher» geworden. Das 4. Jahrhundert ist das Jahrhundert Pla-
tons, der dem irdischen Dasein das transzendente Reich der
Ideen gegenübergestellt hat, dem die Seele entstammt und in das
zurückzukehren ihre Bestimmung ist; und desselben attischen
Philosophen Urteil über die Kunst, daß sie ein schöner Augen-
trug, oder daß sie – wie er einmal sagt – ein Traum für Wachende
sei, rührt, auf die Kunst seiner Zeit bezogen, an den Kern ihres
Wesens.

In der fließenden Gestalt und dem versunkenen Ausdruck des mit
13   sich selbst beschäftigten *Athleten (3)* steht uns die neue Verinner-
lichung des 4. Jahrhunderts eindrucksvoll vor Augen. Der unbe-
kannte Künstler, dessen Auftrag es war, für einen Sieger im
Wettkampf eine Ehrenstatue zu arbeiten, hat den Jüngling ganz
in sich gekehrt dargestellt, da er sich anschickt, nach dem
errungenen Sieg sich zu reinigen. Er träufelt sich dazu aus einem
kleinen Gefäß, das seine erhobene rechte Hand umfaßte, Salböl
in die offene linke Handfläche (vgl. die vervollständigende Skizze
Abb. 11).

17   Die *Statue der Eirene (1)*, ein Kultbild, von dem mehrere Kopien
zeugen, deren beste die Kopie in der Glyptothek ist, hat Kephisodot im Auftrag seiner Vaterstadt Athen gearbeitet. Der
Künstler war wohl der Vater des Praxiteles. Die Personifikation
des Friedens (Eirene = Frieden) wurde nach einem von Athen
und Sparta verkündeten «allgemeinen Frieden» mit einem Altar
für jährlich angeordnete Staatsopfer auf dem Marktplatz von
Athen aufgestellt. In der rechten Hand hielt Eirene ein Zepter, im
linken Arm trägt sie ein göttliches Kind: Es ist dieses der im
zarten Knabenalter verstandene Hades, der Gott der Unterwelt,
der nicht nur der Herr des Totenreiches ist, sondern auch der
Spender des aus den Tiefen der Erde sprießenden Wachstums
und Gedeihens, der deshalb auch den Namen Plutos (Reichtum)
führt. Eirene neigt mütterlich-sanft ihr Antlitz dem Kinde als dem

9. Statue der Eirene mit dem Knaben Plutos (Saal V:1). Personifikation des Friedens und des
Wohlstandes

aufkeimenden Segen zu, den der beschlossene Friede verspricht
Das Knäblein blickt liebevoll zur Mutter auf und reckt ihr das
rechte Ärmchen entgegen. Die linke Hand des Kindes umfaßt
das Füllhorn des Reichtums (zur Vorstellung des ganzen Standbilds vgl. die Skizze Abb. 9).

In dem väterlichen *Silen (2)* mit dem kleinen Gott Dionysos wird
vielleicht mit Recht die Kopie nach einem Werk des Bildhauers
Lysipp erkannt, der aus Sikyon in der Peloponnes stammte
Dionysos, der Sohn des Zeus, ist nicht unter den Göttern, son-
dern in der freien Natur bei den Bergnymphen aufgewachsen. Der
Künstler hat das Kind einem Bewohner der Wildnis, einem der
dämonischen Begleiter des erwachsenen Gottes, in die Arme
gelegt, dem bocksschwänzigen, alten Silen mit den halbtierischen
Ohren. Der Silen, der sich auf einen Baumstamm stützt, wiegt
und herzt den heiteren Knaben, schaut ihm mild in das lachende
Antlitz, spricht zu ihm. Dionysos und sein Ziehvater tragen im
Haar einen Kranz aus Blättern und Früchten des Efeu, der dem
Gotte heilig war.

Vermutlich ist auch der *Ares (6)*, auf den die vorzügliche, etwas
verwitterte Kopie des Kopfes zurückgeht, von Lysipp geschaffen
worden (Skizze der ganzen Gestalt nach einer Kopie im Thermenmuseum in Rom: Abb. 10). Ares saß, die Hände über dem
hochgezogenen linken Knie verschränkt, auf einem Felsen, lässig,
mühelos und «leichter Hände» (die doch auch das Schwert
umfassen). Aber Ares ist zugleich auch von vibrierender Unruhe
erfüllt; aus dem Antlitz leuchtet die wache, gefährliche Seele des
rastlosen Kriegsgottes.

Nach Werken des berühmten Atheners Praxiteles, des Schöpfers
des bekannten Marmorstandbilds des Hermes mit dem kleinen
Dionysos, den der Götterbote zu den Nymphen brachte (im
Museum von Olympia), sind zwei Statuen eines Satyrs (12), die
Statue der Aphrodite (9) und eine kleine Statue der Artemis
kopiert (17), in den beiden letzten Kopien jedoch die Urbilder
stärker abgewandelt.

Satyrstatuen (12). Die eine, ohne Kopf erhaltene Kopie des in
zahlreichen Wiederholungen überlieferten Satyrs des Praxiteles
ist sicher die getreuere; die hier faßbare freie Bewegtheit des
jugendlichen Dämons ist in der zweiten, vollständigen Kopie
verunklärt; wir vermissen hier auch den Schmelz der physischen
Erscheinung, den der Torso noch vermittelt und der an den
Werken des Praxiteles besonders bewundert wurde. Die Verbindung von menschlicher Schönheit und wilder Bocksnatur
muß der Statue des Satyrs einen eigentümlichen Reiz verliehen
haben. Der Dämon mit dem Pantherfell hat spitze Ohren und das
zottlige Haar des Tiers. Den Stamm, an den er sich lehnt, haben
die beiden Kopisten unterschiedlich wiedergegeben.

Statue der Aphrodite (9). «Die Venus des Praxiteles übertrifft alle
Kunstwerke der ganzen Welt» – so wird Jahrhunderte nach ihrer
Entstehung die «Knidische Aphrodite» von einem unbekannten
Dichter (Pseudo-Lukian) gepriesen, die im Heiligtum der Göttin
auf der südkleinasiatischen Halbinsel Knidos in einer engen
Kapelle stand. Viele Kunstbegeisterte der Spätzeit haben die
Seefahrt zu der Stätte der Göttin unternommen, allein um dieses
Bildwerk mit Augen zu sehen: «Aus dem Heiligtum wehten uns
gleich aphrodisische Lüfte entgegen ... In überwältigender
Fülle gedieh da die fruchtschwere Myrte ... himmelhohe Zy-
pressen und Platanen ... jeder Baum von Efeu liebevoll um-
schlungen. Weitverzweigte Reben waren mit zahlreichen Trauben

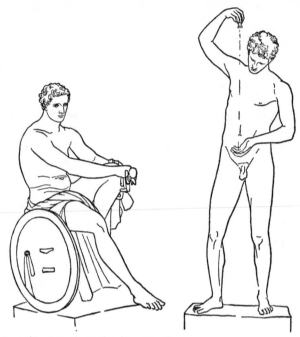

10–11. Ares (Saal V: 6), Athlet (Saal V: 3)

behangen . . . So betraten wir die Kapelle. In der Mitte findet sich das Bild der Göttin, ein herrliches Kunstwerk aus parischem Marmor, hoheitsvoll . . . leise lächelnd. Man sieht ihre ganze Schönheit, kein Gewand bedeckt sie . . . Die Kapelle hat eine Tür sowohl vorn wie hinten, für den Fall, daß jemand es wünschte, auch von der Rückseite die Göttin genau zu beschauen, um keinen Teil ihrer Gestalt seiner Bewunderung zu entziehen.» – Von dem so gefeierten Werk des Praxiteles geben die zahlreichen Kopien kaum mehr als einen schwachen Abglanz. Das gilt auch für die Kopie in der Glyptothek (9), die das in sich beschlossene und erhabene Motiv der knidischen Aphrodite – die im Bade vorgestellte Göttin ließ mit der Linken ihr Gewand lässig auf ein großes Gefäß herabsinken, den Blick in die Ferne gerichtet – ins Situationsmäßige abwandelt und die Göttin ihr Gewand wie überrascht und erschrocken an sich ziehen läßt. Die knidische Aphrodite stellte zur Zeit ihrer Entstehung etwas völlig Neues dar. Bis dahin war der griechischen Großplastik die Darstellung der unbekleideten weiblichen Gestalt noch fremd. Praxiteles hat sie zum ersten Mal in einem Kultbild der Liebesgöttin verwirklicht; und sein kühner Schritt konnte auch nur im Bild der Göttin möglich werden. Die nackten Gestalten der Göttin, die in der Folgezeit entstanden sind, stehen unter dem Bann des Werkes des großen Atheners.

In der verlorenen Statue zu dem schönen, stimmungsvollen *Aphroditekopf (10)* mit über der Stirn aufgebundenen Locken war die Göttin nackt dargestellt und einem berühmten Standbild nachgebildet, das uns wiederum in Kopien aus der späteren Zeit des Altertums überliefert ist.

Das kleine *Standbild (17)* ist eine freie Abwandlung einer Artemis von Praxiteles, die in der gesenkten Linken den Bogen hielt, während die erhobene rechte Hand nach den Pfeilen im Köcher griff.

Silanion hat eine Statue des Platon noch zu dessen Lebzeiten für die Akademie in Athen geschaffen: Der *Frauenkopf (16)*, der Hoheit und Würde ausdrückt, beruht vermutlich auf einer Statue von Silanion, die später nach Rom entführt wurde.

Torso eines knienden Jünglings (4). Zu einer Gruppe (der Giebelgruppe eines Tempels?) gehörte der Torso eines auf die Knie gesunkenen Jünglings, der nach rechts oben blickte und offenbar in hilfloser Abwehr Leib und Arme bewegte. Der schon im 16. Jahrhundert bezeugte Torso war im 17. im Besitz des Kaisers Rudolf II. Eine erst im 19. Jahrhundert geplante Ergänzung der Figur in Marmor ist glücklicherweise unterblieben.

Toter Sohn der Niobe (5). Der rücklings gestürzte Jüngling, die vorzüglichste von im ganzen drei erhaltenen Kopien, ist eines der vierzehn Kinder der Niobe, die Apollon und Artemis, den Hochmut der fruchtbaren Mutter zu strafen, mit ihren Pfeilen erlegten (vgl. den römischen Reliefsarkophag mit der Tötung der sieben Söhne und sieben Töchter der Niobe, Saal XIII: 6). Diese im Altertum berühmten «Niobiden», die den Bildhauern Skopas oder Praxiteles zugeschrieben wurden, befanden sich im 1. Jahrhundert n. Chr. in Rom und wurden wiederholt kopiert. Die vielfigurige Gruppe war ursprünglich wohl auf einem künstlichen, ansteigenden und wieder abfallenden Felsgelände in lockerer Komposition angeordnet; auf der Höhe stand in der Mitte die auch in Kopien bezeugte Mutter, in deren Schoß die jüngste Tochter Schutz zu finden sucht.

VI SAAL DES GRABRELIEFS MIT DEM JÄGER

1 Grabrelief eines Jünglings (als Jäger). Attika? Um 360 v. Chr.
(Tafel 21)
2 Jagdhund, von einer Grabstätte. Attika, um 360 v. Chr.
3 Grabrelief des Artemon. Attika, um 350 v. Chr.
4 Grabrelief mit Frau und Dienerin. Attika, um 400 v. Chr.
(Tafel 20)
5 Grabrelief mit einem Leierspieler. Westgriechisch (Unteritalien), um 420 v. Chr.
6 Kopf der Statue eines kleinen Mädchens, vermutlich aus
einem Heiligtum. Attika, um 320 v. Chr.
7 Reliefplatte mit einer trauernden Frau. Ostgriechisch (süd-
liches Kleinasien), um 340 v. Chr.
8 Lekythos (Grabstein in Form eines Salbgefäßes), drei Frauen.
Attika, 350/320 v. Chr.
9 Lekythos. Grabstein der Eukoline. Athen, um 400 v. Chr.
10 Bruchstück eines Grabreliefs mit Lamprokles. Attika, um
360 v. Chr.
11 Bruchstück eines Grabreliefs mit dem Kopf eines trauernden
Mädchens. Attika, 340/330 v. Chr.
12 Grabrelief mit Ehepaar beim Gelage. Ostgriechisch, um
320 v. Chr.
13 Torso einer Mädchenstatue, um 300 v. Chr.

Die Griechen haben ihre Toten außerhalb der Städte und Sied-
lungen begraben. Die Gräber begleiten die ins Land hinaus-
führenden Straßen und Wege. Im 5. und 4. Jahrhundert v. Chr.
waren die Gräber oft in Familienbezirken zusammengefaßt. Vor
einem Stadttor von Athen, dem «Heiligen Tor», wurde eine Anzahl *Familiengrabstätten des 4. Jahrhunderts,* auf denen einzelne
Grabsteine noch aufrecht stehen, entdeckt: aus Erde aufge-
worfene und von Mauern eingefaßte «Grabbauten», über deren
Fassaden die Denkmäler der Toten von weitem sichtbar auf-
ragen. Die Abbildungen 12 und 13 (Tafel im Saal VI) mit z. T.
rekonstruierter Darstellung von zwei benachbarten Grabbauten
geben eine Anschauung, wie das eine oder andere, in den Sälen
IV und VI gezeigte Grabdenkmal einstmals aufgestellt war.
Der rechte Grabbau mit einer Mauer aus schweren Quadern und

einem Steingesims ist an der Straße vor dem «Heiligen Tor» nach
dem Tode des Koroibos, des Sohnes des Kleidemos, auf dem
Grabplatz seiner Vorfahren errichtet worden (um 370 v. Chr.).
Der bildlose, von einer großen Palmette bekrönte Grabpfeiler
des Koroibos erhebt sich bis zu ca. 6 m über das Straßenniveau
(vgl. den Grabpfeiler der Xenokrateia, Saal IV: 3). Unter dem
Namen des Koroibos stehen die Namen eines seiner Söhne und
auch eines Enkels (Kleidemides und Koroibos), denen der Grabpfeiler noch als Mal gedient hatte. Ein dicht an den Pfeiler heran-
geschobenes Denkmal, das edle Grabrelief der Hegeso (jetzt im
National-Museum in Athen), mit der sitzenden Athenerin und
ihrer Dienerin, ist wohl der Grabstein der Ehefrau des Koroibos,
die schon früh, um 400 v. Chr., starb (vgl. das Grabrelief der
f. 19–20 Mnesarete, Saal IV: 1 und das Grabrelief Saal VI: 4). Nach einer
Standspur war der Hegeso neben ihrem Relief auch ein zweites
Mal in Gestalt eines Salbgefäßes aufgestellt, auf dem vielleicht
die Tote noch einmal dargestellt war (vgl. die Lekythos mit Ehe-
Taf. 18 paar oder die Lekythos mit sitzender Frau und Wärterin, Saal IV:
10 und 12). Rechts als ein weiteres Denkmal der Grabstein des
Kleidemos, des um 400 unvermählt verstorbenen Bruders des
Koroibos, mit einer zweihenkligen «Lutrophoros» (vgl. zur Bedeutung des Gefäßes Seite 31 f.).
Den linken Grabbau aus polygonal gefügtem Mauerwerk, das
mit Ziegeln bedeckt ist, hat Eubios seinem unvermählt verstorbenen Sohn Bion um 330 v. Chr. errichtet. Bions Grabmal ist eine
Säule, die eine Lutrophoros trägt. Beiderseits der Säule stehen
ältere Grabsteine der Familie: rechts das Grabrelief von Bions
Mutter Demetria, in dem die auf einem Stuhl sitzende Frau mit
ihrem trauernden Mann und weiteren Angehörigen dargestellt
war (360/350). Links das Mal der Euphrosyne (350/340), der Schwester von Bions Vater, mit einem kleinen Relieffeld: die sitzende
Tote vereint mit ihrem Bruder und dessen jugendlichen Sohn
Bion. – Auf den beiden Grabbauten mögen ursprünglich noch
weitere, nicht mehr bezeugte Denkmäler der Familien gestanden
haben.
Taf. 21 *Grabrelief mit Jäger (1).* Der Saal VI ist nach dem rötlich verwitterten Grabrelief mit dem als Jäger dargestellten Toten benannt. Der ermüdete Jüngling, zu dem sein Jagdhund scheu
aufblickt, sitzt auf einem Felsen, den er mit dem Mantel bedeckt
hat. In der Rechten hält er das Wurfholz der Hasenjagd.

12. Familiengrabstätte, Athen, 4. Jahrh. v. Chr.

Der vortreffliche, die Spur des Wildes witternde *Jagdhund (2)* war zwar nicht auf der Grabstätte des «Jägers» aufgestellt. Aber es ist denkbar, daß auf dieser ein ähnlicher Hund oder auch zwei solche Hunde symmetrisch angeordnet gestanden haben (vgl. zu Tierfiguren auf Grabstätten Seite 31).

Im *Relief des Artemon (3)* sind der im mittleren Alter verstorbene Mann und ein älterer mit einem Stock, in dessen Hand die des Toten ruht, wohl Artemons Vater, vereint. Die rahmenden Pfeiler der Grabplatte tragen ein horizontales Dach, auf dem im Relief (auf einem kleinen Sockel in der Mitte) eine Sirene steht, die ihre Flügel weit ausgebreitet hat; außen hocken zwei Sphingen. Die halb als Frau, halb als Vogel gestalteten Sirenen erscheinen als im Jenseits vorgestellte, musizierende und dem Toten freundlich gesinnte Wesen immer wieder auf den Grabsteinen der Griechen. Sie können auch als Figuren den Grabbau bekrönen. Die Sirenen spielen den Toten auf der Leier oder sie beklagen deren Los, wie die Sirene auf dem Mal des Artemon sich die Brust schlägt und ihr Haar rauft.

Bruchstück eines Grabreliefs (10) mit Lamprokles aus Hagnus (Hagnus ist eine Gemeinde in Attika): Vor dem bekümmerten, bärtigen Mann, der sich auf einen vom Mantel verhüllten Stock stützt und seine Hände verschränkt, wird dessen Frau, auf deren Grab das Relief stand, sitzend dargestellt gewesen sein (Ver-

13. Familiengrabstätte, Athen, 4. Jahrh. v. Chr.

witterungsspuren der ehemaligen Bemalung: Blattornamente auf dem Gesims und dem Pfeilerkapitell).

Taf. 20 Die in ihrem Gemach sitzende Frau auf dem stimmungsvollen
Taf. 19 *Grabrelief (4)* hat, wie Mnesarete (Saal IV: 1), mit der einen Hand den Saum des Mantels erfaßt; in der rechten Hand hält sie vielleicht einen kleinen Vogel (das Relief ist verwaschen). Die vor der Frau stehende Dienerin trägt eine kleine Truhe mit dachförmigem Deckel, wie solche vielleicht den Schmuck oder auch häusliches Gerät der Frauen enthielten.

Das westgriechische *Grabrelief (5)* war wohl über dem Grab eines Mannes aufgestellt, der im Leben Lehrer der musischen Künste gewesen ist. Der Verstorbene spielt die Leier; sein Blick ist auf einen Knaben gerichtet, der aus einer Buchrolle lesend ein Lied vorträgt.

Das hohe *Relief (7)* und ein *Reliefbruchstück (11)* gehörten zu je einem großen, offenen Reliefgehäuse, das aus einzelnen Teilen zusammengesetzt war, einem sogenannten Naiskos (= Tempelchen): Auf einer breiten Platte, der Rückwand des Naiskos, und den schmalen Seitenwänden ruhte als Dach eine Deckplatte. – Das Relief mit einer in ihren Mantel gehüllten Frau, die die Rechte in schmerzlicher Gebärde an die Wange legt (7), bildete die linke Seitenwand eines ostgriechischen Naiskos. Auf der hinter der Trauernden im rechten Winkel anschließenden Rückwand des

Naiskos war der oder die Verstorbene, vielleicht zusammen mit den Angehörigen, dargestellt. – Das Fragment mit dem Kopf eines trauernden Mädchens (11) ist ein Stück von der Rückwand eines attischen Naiskos.

Die sehr große *Lekythos der Eukoline (9)* zeigt die verstorbene Frau im Kreise ihrer Familie: Links der Vater oder Schwiegervater (Chaireas), der sich auf die Lehne des Stuhls der Toten stützt; vor dieser der Ehemann mit Topfhelm und Schwert, der seiner Frau die Hand reicht, sowie auch ein grüßendes Söhnchen. Rechts steht eine Wärterin mit dem Säugling.

Aus Ostgriechenland kommt das «*Totenmahlrelief*» *(12)* mit einem Ehepaar beim Gelage: Der bärtige Verstorbene liegt halb aufrecht auf dem Ruhelager, einer «Kline», auf deren Fußende die Frau Platz genommen hat. Vor der Kline ein Tischchen für Früchte und andere Speisen mit drei zierlichen, in der Gestalt von Rehläufen gearbeiteten Beinen.

SAAL VII BIS SAAL IX: SKULPTUREN AUS DEM HEILIGTUM DER APHAIA AUF DER INSEL ÄGINA

VII Saal der Westgiebelgruppe des Tempels von Ägina

1 Die Westgiebelgruppe. 505/500 v. Chr. (Rekonstruktion Abb. 21; Tafel 22–24, 28–29)
2 Kriegerkopf aus der Westgiebelgruppe (Krieger III; Tafel 23)
3 Schild und Arm eines Kriegers der Westgiebelgruppe (Krieger X; Schildzeichen Abb. 22)
4 Arme eines Bogenschützen aus dem Heiligtum von Ägina. 505/500 v. Chr.
5 Westliche Firstbekrönung des Tempels von Ägina (z. T. ergänzt; Rekonstruktion Abb. 18). 505/500 v. Chr.
6 Kapitell einer Säule des Tempels von Ägina (innere Säulenordnung; Rekonstruktion Abb. 15)

VIII Saal der Sphinx

1 Sphinx (Torso) vom Dach des Tempels von Ägina: Bekrönung der Nordwestecke. 505/500 v. Chr.
2 Stirnziegel aus Marmor des Tempels von Ägina: vom längsseitigen Dachrand (Rekonstruktion des Tempels Abb. 15). Um 500 v. Chr.
3 Firstbekrönung aus dem Heiligtum von Ägina (ergänzt). 505/500 v. Chr.
4 Aufzeichnung eines Inventars aus dem Heiligtum von Ägina (Marmorpfeiler). Um 410 v. Chr.

IX Saal der Ostgiebelgruppe des Tempels von Ägina

1 Die Ostgiebelgruppe. 485/480 v. Chr. (Rekonstruktion Abb. 20 und 16; Tafel 25–27)
2 Kriegerkopf aus der Ostgiebelgruppe (Bogenschütze X)
3 Kriegerkopf aus der Ostgiebelgruppe (IX: der Gefährte des Kriegers VIII; Tafel 25)
4 Kopf einer Sphinx vom Dach des Tempels von Ägina (Umschlagbild): Bekrönung der Nordostecke. 485/480 v. Chr. (Rekonstruktion der Tempelfront Abb. 16)

Vitrine A

Bruchstücke zur Westgiebelgruppe des Tempels von Ägina (505/500 v. Chr.; Rekonstruktion Abb. 21): 1. Arm des Kriegers XII; 3. Oberarm des Kriegers III; 4. Faust des Kriegers IX; 5. Arm des Kriegers II; 6. Arm des Kriegers X; 13. Bein des Kriegers VI.
Weitere Stücke: 2. Schildfragment mit Relief (aus dem Ostgiebel?); 7. zwei Köcher (ein Köcher gehörte vielleicht dem Bogenschützen X der Ostgiebelgruppe).
Bruchstücke von Skulpturen aus dem Heiligtum von Ägina (505/500 v. Chr): 8. Fuß einer knienden Figur; 9. Fuß eines Bogenschützen (?); 12. Gewandstück mit Fuß einer Athena. 11. Bruchstück der Statuette eines Mädchens, von der östlichen Firstbekrönung des Tempels von Ägina (485/480 v. Chr.; Rekonstruktion der Tempelfront Abb. 16).
10. Arm eines Standbilds der Athena aus dem Tempel von Ägina (505/500 v. Chr.; Abguß nach Original im Nationalmuseum Athen).

Vitrine B

Bruchstücke zur Ostgiebelgruppe des Tempels von Ägina 485/480 v. Chr.; Rekonstruktion Abb. 20): 1. Fragment vom Oberkörper des Bogenschützen X; 2. Arm des Kriegers VIII; 3. Faust des Kriegers VII; 4. Hand der Athena I; 5. Unterarm des Kriegers III; 6. Oberarm des Kriegers VII.
Bruchstücke einer Gruppe aus dem Heiligtum von Ägina (505/500 v. Chr.; Rekonstruktion Abb. 23): 7–9. Gewandstück mit Füßen, Unterarm und Fragment des Ärmels eines Mädchens; 10. Arm und Hand eines zweiten Mädchens der Gruppe.
Architekturteile des Tempels von Ägina: 11. Fragment eines Architravblocks (Rekonstruktion des Tempels Abb. 15 und 16); 12. Deckziegel vom First des Tempels (Rekonstruktion Abb. 19).

In den ehemaligen großen Festsälen im Norden der Glyptothek (Saal VII und Saal IX; vgl. Seite 12) und einem zugehörigen Vestibül (kleiner Saal VIII) sind die Giebelgruppen des Tempels

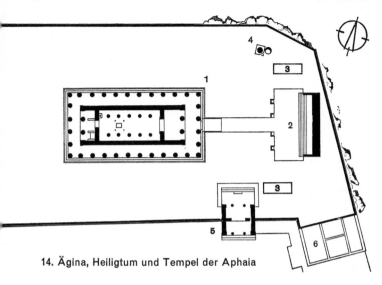

14. Ägina, Heiligtum und Tempel der Aphaia

der Aphaia, die sogenannten Ägineten, und weitere Skulpturen
und Fundstücke vom Tempel und aus dem Heiligtum der Göttin
ausgestellt.

Das Heiligtum der Aphaia
Die hoch im Bergland der Insel gelegene Kultstätte hatte schon
etwa 700 Jahre bestanden (Gründung des Kults im 14. Jahrhundert v. Chr.), als in ihr um 580 v. Chr. ein erster großer Steintempel errichtet wurde. Nach einer Feuersbrunst des Dachstuhls
mußte er durch einen zweiten Steintempel ersetzt werden, dessen
Bau um 510 eingeleitet, um 500 unterbrochen, nach 490 wieder-
aufgenommen wurde und etwa 480 v. Chr. abgeschlossen war.
Im ersten Bauabschnitt hatte man die Westfront des Tempels,
im zweiten die Ostfront aufgerichtet. Im gleichen Zeitraum ist
auch das ganze Heiligtum neu angelegt worden (rekonstruierter
Plan Abb. 14): Ein Torbau mit Säulen (5) führte von Süden in
eine von Stützmauern gefaßte und umfriedete plane Terrasse,
den Bezirk der Göttin, in dessen Mitte der Tempel steht (1: Breite
des Tempels 15,5; Länge 30,5; Höhe 12,4 m). Im Osten befand
sich ein großer Brandopferaltar mit einem gepflasterten Vorplatz,
vier Sockeln für Skulpturen und einem zur Tempelfront führen-

den und hier als Rampe ansteigenden Pflasterweg (2). Nördlich
und südlich vom Altarplatz zwei Fundamente (3), auf denen
sicherlich offene Gehäuse für Statuengruppen standen, und im
Norden neben der Brunnenöffnung einer Zisterne erhob sich als
einziges Monument aus dem älteren Heiligtum eine mächtige
Säule, die eine Sphinx trug (4. Höhe ca. 14 m; um 600 v. Chr.).
Im Südosten schloß sich an die Umfriedung ein Verwaltungs-
gebäude mit etlichen Räumen an (6).

Das so gestaltete Heiligtum zeugt von dem hohen Ansehen, das
die äginetische Göttin Aphaia genoß. Sie war nur auf Ägina
heimisch, und sie hatte nur an dieser Stätte ihren Kult. Doch
schon bald sollte das Heiligtum mit der Eroberung der Insel
durch Athen, dem Untergang ihres blühenden freien Staats-
wesens und mit der Zerschlagung der alten Adelsgeschlechter
(431 v. Chr.) seine Bedeutung verlieren. Der Kultbetrieb versiegte
schließlich im 3. Jahrhundert v. Chr., und der ungepflegte Tempel, dessen Ruine heute den Reisenden, der sich zu Schiff der
Insel nähert, von fern grüßt, muß damals schon der Verwilderung
und dem Verfall preisgegeben gewesen sein.

Inventar des Heiligtums (Saal VIII: 4)
Ein im Tempel gefundener Marmorpfeiler mit einem von athenischen Kontrollbeamten aufgezeichneten Inventar zeugt, obschon
unvollständig, von der Verarmung des Heiligtums gegen Ende
des 5. Jahrhunderts v. Chr. Der erhaltene Text lautet: «... Ket-
ten 2; Eisen von der Luke 2; Zangen 2. Aus Holz Folgendes:
Salbbüchse 1; Truhen 3; Schranke um das Standbild vollständig;
Sessel 1; Stuhl 1; Gestelle 4; kleiner Sessel 1; kleines Ruhelager
1; Gestell mit Lehne 1; kleine Kästchen 3; Gestell für Misch-
gefäß 1; breites Kästchen 1. – Im Verwaltungshaus Folgendes:
Warmwasserkessel aus Bronze 1; Handwaschbecken 1; Schalen
2; Axt 1; Torriegel 1; Messer 3; Ruhelager 2; Abwaschbecken
aus Bronze 1; Meßgefäß 1; Seiher 1.»

Der Tempel (Grundriß Abb. 14; perspektivische Zeichnung zum
Aufbau des Tempels: Abb. 15, nach E. Fiechter 1906).
Errichtet nach den Regeln der «dorischen» Architektur war der
Tempel als der Gottheit geweihtes, prächtiges, leuchtendes Haus
ein Bauwerk höherer Ordnung. Aus der Idee gestaltet glich er in
nichts den Wohnungen der Sterblichen. Er war eher ein gebauter

15. Ägina, Tempel (nach E. Fiechter)

Schrein als ein Haus, und wie die Statuen, so erhob sich auch
der Tempel auf einem Sockel (er ist dreifach gestuft). Das von
Osten nach Westen gestreckte, fensterlose Gemach des Tempels
(die «Cella») stellte keinen wirklichen Raum her und diente nicht
den Gläubigen zur Versammlung; es war mehr ein gemauerter
Kubus, dem außen ein Kranz von 30 Säulen Glanz und Würde
verlieh. Säulenpaare stehen auch zwischen den auf den Schmalseiten vorgezogenen Wänden, und zwei Reihen von 5 Säulen,
die über einem Gebälk noch 5 kleinere Säulen trugen, begleiteten
und schmückten die Wände im Innern des Tempels. Das im
Saal VII ausgestellte *Kapitell (6)* gehörte zu einer der kleinen
Säulen aus der Cella.
Eine sehr feine, weiße Stuckschicht überzog die aus Kalkstein
gearbeiteten Bauglieder des Tempels, die Säulen mit ihren Ka-
pitellen, das von ihnen getragene Gebälk, den Architrav (Fragment eines Architravblocks mit «Tropfenleiste» Saal IX, Vitrine
B: 11) und das vorkragende Gesims des Daches (vgl. Ansicht
und Schnitt der östlichen Tempelfront; Abb. 16; die Stuckhaut

16. Ägina, Ostfront des Tempels

des Kapitells Saal VII: 6 ist jetzt vergilbt). Nach oben war der
Tempel zunehmend farbig ausgestattet: mit roter Farbe hori-
zontale Schmuckformen, so die Ringe der Säulenhälse oder die
obere Abschlußleiste des Architravs; mit schwarzer Farbe ver-
tikale Formen, so die dreifach gegliederten «Triglyphen» auf dem
Architrav. Vermutlich füllten einst bemalte (oder mit Bronzereliefs
belegte) Holzplatten die «Metopen», die Felder zwischen den
Triglyphen. Und die dreieckigen Giebelfelder, die das Satteldach
des Tempels im Osten und Westen bildete – in ihnen standen wie
auf schmalen Bühnen, die zum Dachstuhl hin durch Steinplatten
geschlossen waren, die vielfigurigen plastischen Gruppen –
leuchteten in bunten Farben: Die durch eine flache Stufe vom
horizontalen Giebelgesims abgesetzte Bodenfläche der Ost- und
der Westgiebelgruppe war als «Erdreich» rot, der Hintergrund
der Giebel als «Luft und Himmel» kobaltblau gedeckt; und auch
die Giebelfiguren selbst waren vielfältig bemalt (vgl. Seite 66).
Dasselbe gilt für den plastischen Schmuck des Tempeldaches,
die östliche und die westliche Firstbekrönung über der Mitte der
Giebel in Gestalt von pflanzlichen Gebilden mit je zwei kleinen
Mädchenstatuen und die vier Eckbekrönungen des Dachs in Gestalt von Sphingen. – Die Skulpturen in den Giebeln und auf dem

17. Bronzestatuette der
Athena (480 v. Chr.)

Dach sind als «mitgebaute» plastische Elemente des architektonischen Organismus zugleich seine freieste Entfaltung: Der Tempel spricht in Bildern. Und diese «Tempelbauskulpturen» waren
aus dem feinkörnigen Marmor gearbeitet, der in den Brüchen der
Insel Paros gewonnen wird.

Die Kultbilder im Tempel
Unbefugten war der Zutritt in das Innere des Tempels durch hohe
Gitter zwischen den Säulen und durch die verriegelten Cella-
portale verwehrt (vgl. Abb. 14 und Abb. 15). Hier stand hinten in
der Nordwestecke der Cella auf einem noch erhaltenen Stein-
würfel das alte hölzerne Kultbild der Aphaia und in der Tempel-
achse eine zur Bauzeit des Tempels geschaffene überlebens-
große Statue der bewaffneten Athena (505/500 v. Chr.). Die Standspur ihres Sockels sowie Pfostenlöcher einer den Sockel umgebenden Holzschranke, die auch im Inventar des Tempels erwähnt ist, sind in der Ruine noch zu sehen (vgl. Grundriß Abb. 14;
Inventar Saal VIII: 4; Seite 50). Der rechte *Arm des Kultbilds der
Athena* ist erhalten (Saal IX, Vitrine A: 10; Ansatzfläche am
Oberarm mit Zapfenloch. Abguß nach Original im Nationalmuseum Athen). Die Athenastatue war in Bronze und Marmor

18. Ägina, westliche Firstbekrönung des Tempels (Saal
VII : 5). DieMädchenstatuen
beiderseits des Palmetten-
baumes in Umrißzeichnung

ausgeführt; aus Bronze das Gewand, die Ägis, Helm, Schild und
Lanze; aus Marmor das Antlitz, die angesetzten Arme und Füße.
Die erhobene Rechte der wehrhaften Göttin umfaßte den Schaft
einer Lanze (vgl. Abb. 17 nach einer kleinen Bronzestatuette der
Athena). – In der Cella des Tempels fand sich auch ein großes
Auge aus Elfenbein (7. Jahrhundert v. Chr.). Die Iris war ein-
gesetzt, wohl aus farbigem Glasfluß; ein gewölbter Bronzeknopf
bildet die Pupille (Saal IX, Vitrine A).

Die Firstbekrönungen des Tempels: Palmettenbäume mit Mädchenstatuen
Die im Saal VII ausgestellte *Firstbekrönung (5)* erhob sich über
der westlichen Firstspitze des Tempels; sie ist nur bis auf halbe
Höhe aus Bruchstücken zusammengesetzt und z. T. ergänzt (weitere Bruchstücke im Museum von Ägina; Rekonstruktion der
Firstbekrönung Abb. 18). Zwei profilierte Stämme sprießen aus
einem schweren Sattelblock, der auf dem First ruhte; sie begegnen sich wiederholt und trennen sich von neuem, entsenden
als Zweige und Laubwerk Voluten und kleine Palmetten, um
schließlich eine Hauptpalmette zu tragen. Das zusammen mit
dem Sattelblock ca. 2 m hohe Gebilde war aus einem einzigen gro-

ßen Marmor herausgemeißelt und gegen den Druck der Winde
hinten durch eine Stütze in Gestalt eines nur grob bossierten
Löwen gesichert (vgl. Abb. 16 Schnitt; Sattelblock: ergänzter
Abguß nach dem originalen Bauglied im Museum von Ägina).
Zwei anmutige weibliche Genien, die ihren Mantel raffen, flan-
kieren das ideenhafte Gewächs. – Über dem Ostgiebel des Tempels erhob sich eine ähnliche Firstbekrönung (ein Bruchstück
des einen Mädchens im Saal IX, Vitrine A: 11; etliche Fragmente
des Palmettenbaums der Ostfront befinden sich im Museum von
Ägina). – Ein dritter, im ganzen Aufbau ergänzter *Palmettenbaum
(Saal VIII: 3)* war ursprünglich als östliche Firstbekrönung des
Tempels geschaffen. Nach der Bauunterbrechung am Tempel
jedoch als solche ausgeschieden, wurde dieser Palmettenbaum
der Göttin als Weihgeschenk am Altarplatz aufgestellt. Die einzelnen Blätter seines prachtvollen Blattfächers sind auf der Vorderseite in Relief gearbeitet, auf der Rückseite waren sie gemalt
(Verwitterungsspuren der Farben).

Die Eckbekrönungen des Tempels (Sphingen)
Der *Sphinxtorso (Saal VIII: 1)* gehört zu einem der dämonischen
und lieblichen, starken und sanften Wesen der Himmelsbereiche
mit dem Leib und den Gliedern eines Hundes und dem Kopf
eines Mädchens, die gleich Wächtern des Tempels auf den vier
Dachecken hockten. Diese Sphinx bekrönte die Nordwestecke
des Daches. Von der vortrefflichsten Erhaltung ist der im Saal IX
ausgestellte, schöne *Mädchenkopf einer Sphinx (4)* von der nord-
östlichen Ecke des Tempeldaches (Umschlagbild); im vollen,
reich gegliederten Haar liegt ein schmiegsames Diadem, die Ohren sind mit kleinen Scheiben geschmückt.

Das Dach des Tempels
Das Dach war mit großen rechteckigen Flachziegeln und über
deren Stoßfugen mit schmalen, im Querschnitt giebelförmigen
Deckziegeln belegt. Die erste Ziegelreihe rings um den Dachrand, der über den schrägen Giebelgesimsen aufgebogen ist,
bestand aus Marmor, alle übrigen Dachziegel waren aus Ton geformt (vgl. Abb. 15). Im Saal VIII sind einige *Marmordeckziegel (2)*
des Tempels mit ihren als Palmetten ausgebildeten Stirnflächen
ausgestellt; ihre Blattfächer waren gemalt (Verwitterungsspuren
der Farben). Buntbemalte Palmetten der tönernen Deckziegel

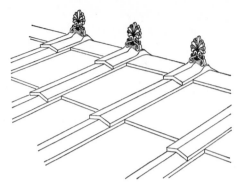

19. Ägina, Ausschnitt vom Dach des Tempels mit Flachziegeln und Deckziegeln. Palmetten als Firstschmuck (Saal IX, Vitrine B: 12)

die in einer fortlaufenden Reihe den First des Daches schmückten, befinden sich im Saal IX (Vitrine B: 12; vgl. Abb. 19).

Die Giebelgruppen des Tempels: Die Ägineten

Die Giebelgruppen von Ägina, die in den Sälen VII und IX auf jeweils 11,70 m langen Postamenten stehen, bilden den kostbarsten Besitz der Glyptothek; sie sind Schwerpunkt und Mitte des Hauses. Die Gruppe aus dem westlichen Giebel mit ursprünglich 13 Figuren ist vollständiger überkommen (VII: 1; Rekonstruktion Abb. 21). Von der Ostgiebelgruppe mit ursprünglich 11 Figuren hat sich ein größerer Zusammenhang der rechten Giebelhälfte erhalten (IX: 1; Rekonstruktion Abb. 20, vgl. die Giebelgruppe im architektonischen Aufbau der Ostfront des Tempels Abb. 16). Einzelne größere Stücke, die nicht im Gruppenzusammenhang der beiden Giebel ausgestellt werden konnten, stehen auf gesonderten Sockeln: im Saal VII ein Kriegerkopf und ein Schild aus der Westgiebelgruppe (VII: 2 und 3); im Saal IX *Taf. 2* zwei Kriegerköpfe aus der Ostgiebelgruppe (IX: 2 und 3). Etliche *Taf. 2* weitere Fragmente aus beiden Giebeln sind in zwei Vitrinen gezeigt (Saal IX, Vitrine A und B). Die Originale zu den in der Glyptothek abgeformten Teilen der Ägineten befinden sich im Museum von Ägina oder im Nationalmuseum Athen.

Die Ägineten sind nach den Giebelgruppen des mächtigen Zeus-Tempels von Olympia, die wenige Jahrzehnte später geschaffen wurden (Museum von Olympia), die am besten erhaltenen viel-

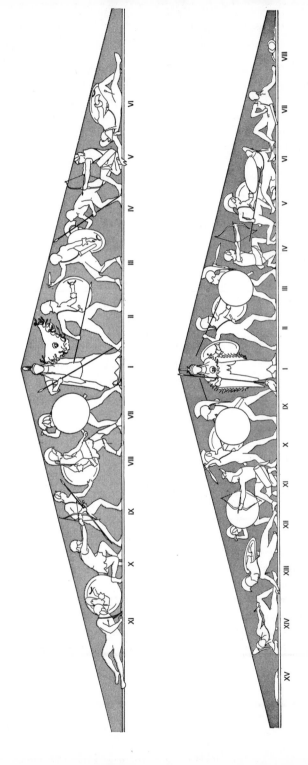

20–21. Ägina, Ostgiebelgruppe und Westgiebelgruppe (Saal IX und VIII)

figurigen Marmorgruppen der griechischen Tempelbaukunst. Als das umfassendste Denkmal der griechischen Plastik aus den Jahrzehnten um die Wende vom 6. zum 5. Jahrhundert v. Chr. sind sie uns ein unschätzbares Zeugnis für den bedeutsamen und schwerwiegenden Wandlungsprozeß, der sich zu dieser Zeit in der griechischen Kunst vollzogen hat (vgl. Seite 24 f.), und ohne die Ägineten hätten wir nur eine blasse Kenntnis von der im Altertum bewunderten Bildhauerkunst von Ägina.

Das Haus der Gottheit mit großen Bildern zu schmücken, war ein sehr seltener und gewiß einer der ehrenvollsten Aufträge, der einem Bildhauer zuteil werden konnte. Es müssen die angesehensten äginetischen Künstler ihrer Zeit gewesen sein, die für die plastische Gestaltung der Giebel und des Daches des neuen Tempels in die engere Auswahl gezogen und endlich mit ihrer Ausführung betraut worden sind, die die Ägineten in Modellen entworfen und sie z. T. eigenhändig, z. T. mit dem Beistand der Mitarbeiter ihrer Werkstätten in Marmor gemeißelt haben. Den einen Meister, der am Ende des 6. Jahrhunderts v. Chr. den plastischen Schmuck für die Westfront des Tempels geschaffen hat, vermögen wir namentlich nicht zu fassen. Der Meister, dem im zweiten Jahrzehnt des 5. Jahrhunderts nach der längeren Bauunterbrechung am Tempel die Ost- und Hauptfront übertragen worden ist, war aller Wahrscheinlichkeit nach der berühmteste äginetische Künstler der neuen Epoche, Onatas. Die Ostgiebelgruppe ist als ein Hauptwerk aus der frühen Schaffenszeit dieses Künstlers anzusehen (vgl. das Standbild eines Apollon Saal III: 3, Seite 25).

Entdeckung, erste Restaurierung und Neuaufstellung der Ägineten
(Dokumente: Vitrine Saal VIII)
Die Bauskulpturen des Tempels der Aphaia und Bruchstücke weiterer Skulpturen aus ihrem Heiligtum sind im Jahre 1811 im Trümmerfeld der einsam gelegenen Ruine (die ein erstes Mal englische Reisende 1675 erwähnen) von vier jungen Forschern und Künstlern entdeckt worden, die mit dem Ziel nach Ägina gekommen waren, den Tempel zu zeichnen und zu vermessen: von dem bayerischen Architekten Carl Haller von Hallerstein, den englischen Architekten Charles Robert Cockerell und John Foster und dem Schwaben Jacob Linckh. Es war ein glücklicher Zufallsfund, der die Ägineten davor bewahrte, im 19. Jahrhundert

bei der erneut einsetzenden Ausbeutung der Tempelruine als Steinbruch größtenteils zugrundezugehen. Die Skulpturen gelangten über Athen und die Inseln Zakynthos und Malta nach Rom. Hier wurden diejenigen Ägineten, deren Körper noch erhalten war, im Auftrag Ludwigs, der inzwischen den ganzen Fund durch die Vermittlung seines Kunstagenten Johann Martin v. Wagner erworben hatte, unter dessen Verantwortlichkeit und nach Modellen des dänischen Bildhauers Berthel Thorvaldsen um alle vermißten Teile, seien es Arme, Beine, Köpfe oder andere Fehlstellen und Verletzungen, in Marmor ergänzt und ausgeflickt (die Ägineten erhielten auch Waffen in Bronze). Ebenso sind die Mädchenstatuen der westlichen Firstbekrönung (VII: 5) und zu einem Greifen der Sphinxtorso (VIII: 1) vervollständigt worden. So bis ins letzte Detail komplettiert und von Eisenstangen äußerlich gestützt wurden 10 Figuren der Westgiebelgruppe (von ursprünglich 13) und nur 5 Figuren der Ostgiebelgruppe (von ursprünglich 11) nach ihrer Ankunft im «Ägineten-Saal» der neuerstandenen Glyptothek, in dem heutigen Saal des Diomedes (Saal III), auf zwei gegenüberliegenden und auf gleiche Länge bemessenen Postamenten zu lediglich dekorativen Scheinkompositionen in mehr dichter oder in ganz lockerer Folge aufgereiht. Die vordringlichste Frage, die Frage nach den von griechischen Künstlern erdachten und verwirklichten Giebelbildern – nicht eine Reihung von Figuren, vielmehr aus einer Idee gestaltete, vielgliedrig-verflochtene Gruppen, ganzheitliche Schöpfungen – ist in Rom nicht aufgeworfen worden, und das Zeugnis vieler einzelner Bruchstücke für eine solche Bildeinheit wurde mißachtet. Die schon zur Zeit ihrer Durchführung gerügte, von vielen auch um ihrer nachahmenden Meisterschaft willen bewunderte Restaurierung der Ägineten, in der fehlende Köpfe und Gliedmaßen nach vorhandenen scheinbar täuschend nachgebildet waren (auch die Verwitterungen der Marmoroberfläche war imitiert), ist fortan in steigendem Maße als schwerwiegender stilistischer Mißgriff und als Irreführung hinsichtlich der ursprünglichen Einheit der Giebelbilder verurteilt worden. So nannte Adolf Furtwängler (1894 bis 1907 Direktor des Museums und 1901 Ausgräber des Heiligtums) die Restaurierung den «dunklen Punkt in der Geschichte der Ägineten» und so forderte nach dem Krieg Ernst Buschor mit Nachdruck die «Rettung der Ägineten», drang Hans Diepolder auf deren endgültige Verwirklichung und sprachen

nach der Entfernung der klassizistischen Ergänzungen und nach
der beendeten Neuaufstellung der Giebelskulpturen alle unver-
bildeten Freunde und Kenner der schöpferischen griechischen
Form von einer «zweiten Ausgrabung» und der «Neuentdeckung»
der Giebelskulpturen.
Für die längst gereifte Forderung der Neuaufstellung der Ägineten in ihrer ursprünglichen Verflechtung (durchgeführt 1962–1965)
galt es, alle gebotenen und vielfältig ineinandergreifenden Indizien
auszuwerten, die die Forschung am Tempel und an seinen Skulpturen ermittelt hatte (Ergebnisse von Adolf Furtwängler und
Eduard Schmidt) und die in jüngster Zeit ergänzt werden konnten: das Zeugnis der Giebelarchitektur mit ihren Maßverhält-
nissen (lichte Länge und Höhe der Giebelfelder 13.20 und 1.74 m),
das Zeugnis der Bettungen für die Standplatten der Figuren auf
den z. T. erhaltenen Blöcken der Giebelgesimse oder die unterschiedliche Korrosion der Figuren, deren Marmoroberfläche auf
ihrer «Ansichtsseite» der Witterung stärker ausgesetzt gewesen
ist. Alle vordem unbeachteten Bruchstücke, deren Zahl durch
Grabungen am Tempel vermehrt werden konnte, waren zu be-
rücksichtigen, zuvor übersehene Anpassungen nachzuweisen;
und es waren vor allem auch die mehr oder minder vollständig
erhaltenen Ägineten nach der lebendigen Folgerichtigkeit ihres
Handelns und nach ihrer sinngemäßen Verflechtung zu befragen,
um sie aus der unerfüllten oder gänzlich mißverstandenen Moti-
vierung zu erlösen, die die Restauratoren des 19. Jahrhunderts
ihnen gegeben hatten.

Der Mythos der Giebelgruppen
Die Sage von der Götterwelt und die Sage von den Vorfahren der
Urzeit, deren Herkunft göttlich und deren Schicksal eng mit den
Göttern verknüpft war, bot den einzigen Stoff für den Schmuck
eines griechischen Tempels. In den Giebeln des Aphaia-Tempels
ist der Kampf der Ahnherrn der äginetischen Sage um die zweimalige Eroberung der anatolischen Stadt Troja dargestellt. Dem
Ostgiebel – die dem Brandopferaltar zugewendete Ostseite war
die Hauptfront des Tempels – kam das gewichtigere Thema zu:
der erste Feldzug, den Telamon gemeinsam mit seinem Freunde
Herakles, dem größten Heros Griechenlands, unternommen hatte.
Telamon ist der Vater des Aias und der Sohn des Aiakos, des ersten Fürsten von Ägina, des Urahns des Aiakidengeschlechts.

Aiakos war wie Herakles ein Sohn des Zeus und seine Mutter
die Flußnymphe Ägina, die der Insel den Namen gab (vgl. Seite 69
zu der Gruppe vom Raub der Ägina durch Zeus aus dem Heiligtum der Aphaia). Bei der Erstürmung Trojas durch Telamon und
Herakles fielen durch Herakles' Pfeile der troische König Laomedon und dessen Söhne mit Ausnahme des nachmaligen
Troerkönigs Priamos. – Das Thema des Westgiebels ist der
Kampf während der zweiten Belagerung von Troja, an der die
Nachfahren des Aiakos und zumal der in Ägina besonders ver-
ehrte Aiakide und Zeusenkel Aias, Telamons leiblicher Sohn
und Herakles' Patensohn, teilgenommen hatte. Der Dichter Pindar, der zur Zeit der Erbauung des Tempels als Freund der äginetischen Adelshäuser die Insel wohl wiederholt besuchte und für
die Göttin Aphaia ein Prozessionslied verfaßte (vielleicht zur
Einweihung ihres neuen Tempels), hat in seinen Preisgesängen
zu Ehren siegreicher junger Athleten von Ägina das zweimalige
Ringen der Ahnen um Troja gepriesen.
Dem Besucher wird empfohlen, sich zuerst der Ostgiebelgruppe
im Saal IX zuzuwenden:

Die Ostgiebelgruppe (Saal IX: 1 und 2–3; Bruchstücke der Gruppe
in der Vitrine B: 1–6. Rekonstruktion Abb. 20)
In der Giebelmitte als göttliche Lenkerin des Geschehens Athena
(I; Kopf, Stück des Oberkörpers, Füße). Sie schreitet nach rechts;
aber ihr Blick führt aus dem Giebel hinaus. – Beiderseits der
Göttin je ein heftig anstürmender «Vorkämpfer» (II und VII). Der
linke Vorkämpfer ist der Aiakide Telamon (VII, rechter Unterschenkel; rechte Faust und linker Oberarm mit Stück des Schilds
in der Vitrine B: 3 und 6). Dem rechten Vorkämpfer (II), einem
Troer, vielleicht Priamos, droht die mithandelnde Göttin mit den
Schlangen ihrer Ägis (linke Hand der Athena mit Stück der Ägis
in der Vitrine B: 4; die Schlangen am Ägissaum waren gesondert
in Marmor gearbeitet und angestückt). – Die Gegner der Vorkämpfer (III und VIII) sind im Zweikampf unterlegen und verwun-
det. Auf der Brust des Griechen zur rechten Seite (III) sind Wund-
male eingemeißelt; er läßt im Taumeln mit dem erschlafften linken
Arm seinen Schild fahren (der rechte Unterarm in der Vitrine B: 5).
Ebenso taumelt Telamons troischer Gegner (VIII, Beine; linker
Arm mit Schildbügel in der Vitrine B: 2). – Gefährten eilen herbei, den schwer bedrängten Kämpfern (III und VIII) beizustehen:

Der eine Helfer (IV), ein Grieche, bringt den Helm, den sein Herr (III) im Zweikampf verlor; seine rechte Hand umfaßt den Wangenschutz des Helms. Der troische Krieger zur linken Seite, der Gefährte von Telamons Gegner (IX; beide Beine) mag eine Lanze gehalten haben; sein vorzüglich erhaltener Kopf ist gesondert gesockelt (Saal IX: 3). – Es folgen Bogenschützen; der rechte gepanzerte Schütze (V) mit dem Helm in Gestalt eines Löwenkopfes ist Telamons Freund Herakles. Der linke Schütze mit Panzer und einem über den Panzer gezogenen Gewand (X) ist wiederum ein Troer (linkes Bein; Bruchstück der Brust mit gefälteltem Gewand und Ansatz von Hals und Armen in der Vitrine B: 1; einer der beiden Köcher in der Vitrine A: 7 gehörte vielleicht diesem Schützen). Der Kopf des Schützen ist erhalten und gesondert gesockelt (Saal IX: 2). – In den Winkeln des Giebelraums liegen sterbende Krieger (VI und XI), die von den Pfeilen der weithin zielenden Schützen getroffen sind: Die bärtige, fürstliche Gestalt links außen (XI) ist der troische König Laomedon; ein Pfeil des Herakles stak ihm in der Brust und sein erschlaffter Arm gleitet aus dem Schildbügel. Nur mit Hilfe des in der rechten Hand gehaltenen Schwertes hält er sich noch aufrecht. Der jugendliche, am Oberschenkel getroffene Grieche rechts außen VI lag mit ausgestrecktem rechten Arm am Boden (Kopf, Beine und linke Hand; Brust u. a. ergänzt).

Die Westgiebelgruppe (Saal VII: 1 und 2–3; Bruchstücke im Saal IX Vitrine A: 1, 3–6, 13. Rekonstruktion Abb. 21)
Wie im Osten erscheint Athena als Schicksalsgöttin in der Giebelmitte (I), jedoch nicht wie dort ausschreitend und am Geschehen erregt beteiligt, sondern aufrecht stehend und frontal ausgerichtet. – Ihr zur Seite je ein Kämpferpaar: Vorkämpfer (II und IX) und von diesen bedrängte, im Zweikampf zurückweichende Gegner (III und X). Der linke Vorkämpfer (IX) ist Aias, der Sohn des Telamon im Ostgiebel, der Enkel des Zeus (rechte Faust des Aias Saal IX, Vitrine A: 4). Auf seinem Schild war der Adler zu sehen, mit dem, wie Pindar sagt, Zeus seine Geburt angekündigt habe (Verwitterungsspuren des aufgemalten Schildzeichens: ein fliegender Adler mit Schlange im Schnabel). Der wohlerhaltene Schild von Aias' Gegner (X; rechter Arm Saal IX, Vitrine A: 6) ist gesondert gesockelt ausgestellt; ihm ist als Schildzeichen die Protome eines springenden Ebers aufgemalt

Taf. 2
Taf. 2

Taf. 2

Taf. 2

Taf. 2

(Saal VII: 3; deutliche Verwitterungsspuren, Abb. 22). – Der
rechte Vorkämpfer (II; rechter Arm Saal IX, Vitrine A: 5) ist wie
im Ostgiebel ein Troer. Zu seinem Gegner (III, Beine; Oberarm
mit Stück des Schildes Saal IX, Vitrine A: 3) ist der vortreffliche
af. 23 Kopf erhalten und wieder gesondert gesockelt (Saal VII: 2). – Es
folgen vier Krieger auf beiden Seiten, die zwei ineinander verflochtene Kämpferpaare bilden: Bogenschützen (IV und XI); ver-
wundete, in den Giebelecken liegende Gegner der Schützen (VII
und XIV); zwischen ihnen und den Schützen geduckt agierende
Kämpfer (V und XII) und ihre gestürzten Gegner, die sich mit
ihren Schilden zu decken suchen (VI und XIII). – Die beiden
af. 29 Bogenschützen sind gepanzert: Der linke (XI) mit der fremdlän-
dischen, «skythischen» Lederschutzkleidung ist gewiß Paris, der
Sohn des Troerkönigs Priamos und Enkel des Laomedon, die
beide im Ostgiebel dargestellt sind. Im Schützen zur rechten
Seite (IV) ist wohl Aias' Bruder Teukros zu erkennen. Im Mythos
sind Teukros und Paris die großen Bogenschützen des zweiten
troischen Krieges. – Den Gegner des Paris links außen (XIV) traf
wie den sterbenden Griechen im Ostgiebel (VI) ein Pfeil am
Oberschenkel; dem Troer rechts außen (VII) stak wie dem Troerkönig Laomedon im Ostgiebel (XI) ein Pfeil in der Brust. – In den
äußersten Zwickeln des Giebels liegt rechts der Helm des verwundeten Troers (VIII; erhalten der Helmbusch) und links ein
Schild des verwundeten Griechen (XV; ehemals vorhandene
Bruchstücke des Schildes jetzt verloren). – Von dem gestürzten
Krieger (VI) der rechten Nahkampfgruppe ist ein linkes Bein erhalten (Saal IX, Vitrine A: 13; Bruchstück der rechten Hand, die
einen Stein am Boden erfaßte, im Museum von Ägina). Ein rechter Arm (Saal IX, Vitrine A: 1) gehörte dem geduckten Kämpfer
der linken Nahkampfgruppe (XII).

Die Darstellung der Ägineten
Nicht die Verherrlichung des Krieges und der siegreichen «Par-
tei» ist der Gegenstand der Giebelbilder des Tempels. Griechen
und Troer stehen sich gleichgewichtig gegenüber (Ostgiebel:
Griechen VII, III–VI; Troer II, VIII–XI. Westgiebel: Griechen IX,
XIII–XIV, III–V; Troer II, VI–VII, XI–XII). Der Schlüssel zum Ver-
ständnis der Giebelgruppen ist der griechische Begriff «Agon»
oder «Athlos», was heißes Bemühen sowie auch Not, Lohn sowie
auch Gefahr im Kampf oder Wettkampf bedeutet. – In den beiden

Giebeln waren einzelne griechische und troische Kämpfer als bestimmte Gestalten des Mythos in der Darstellung als solche kenntlich: durch Tracht und Kampfart im Ostgiebel Herakles und *Taf.* im Westgiebel Paris und Teukros; durch sein Schildzeichen im *Taf.* Westgiebel Aias; im Ostgiebel Laomedon durch seinen Gegner Herakles und wohl Priamos als der von Athena Bedrohte, Telamon als der zweite Vorkämpfer zur Seite der Göttin. Es ist denkbar, daß die Kämpfer auch durch gemalte Aufschriften auf dem Gesims der Giebel namentlich bezeichnet waren. Athena erscheint in beiden Giebeln mit Helm und Lanze. Sie ist lang gewandet und hat an den Füßen Sandalen (ehemals gemalte Riemen). – Im Westgiebel trägt Athena zu dem Untergewand einen Mantel, dessen oberer Saum schräg unter der linken Brust verläuft, und über diesem ihre Ägis, die beide Brüste, die Schultern und tief herab den Rücken umhüllt. Der «Schlangensaum» der Ägis entsendet zahlreiche, sich windende Schlangen (die Schlangen waren gesondert aus Marmor gearbeitet und angesetzt), und die Ägis selbst ist mit Schuppen bedeckt (Spuren der gemalten Schuppen). Ein Medusenhaupt zwischen den Brüsten war wieder gesondert ausgeführt und angestückt (Stiftlöcher zur Befestigung). In der Linken trägt die Göttin des Westgiebels einen Schild. – Die Athena des Ostgiebels hatte anstelle des Schildes ihre Ägis über den linken Arm geworfen. Sie «schüttelt» ihre dämonische Waffe und bedroht mit den Ägisschlangen den Vorkämpfer zu ihrer linken Seite (II = Priamos. Hand der Göttin mit Stück der Ägis Saal IX Vitrine B: 4).

Die Darstellung der Kämpfer steht über der Wirklichkeit des kriegerischen Alltags. Nur vereinzelte Krieger haben einen Panzer: die vier Bogenschützen (Ostgiebel V = Herakles und X; Westgiebel IV = Teukros und XI = Paris) und vielleicht auch Telamons *Taf.* Gegner, dessen Beine von Beinschienen geschützt sind (Ostgiebel VIII), während der Gegner des Priamos lediglich Beinschienen trägt, im übrigen aber nackt dargestellt ist (Ostgiebel III). Die meisten Krieger sind ganz nackt. – Die Krieger tragen verschiedenartige Helme mit und ohne Wangenklappen und Nasenschutz. Die Helme sind über die Stirn herabgezogen, wie sie im Nahkampf getragen wurden (z. B. Ostgiebel XI: Laomedon); *Taf.* aber die Wangenklappen, die das Antlitz schützen, waren mitunter hochgestellt (z. B. Ostgiebel: Helfer IX). Daneben sind die Helme auch in den Nacken zurückgenommen, so daß das Antlitz

ganz frei sichtbar ist (z. B. Ostgiebel II = Priamos; Westgiebel
IX = Aias). Die von den Kriegern getragenen Schilde (im Ostgiebel 6 und im Westgiebel 8 Schilde) sind wichtige Komposi-
tionselemente der Giebelgruppen. Sie sind selten in größerem
Umfang erhalten; viele Schilde fehlen ganz (an einigen Kriegern
sind sie jetzt ergänzt).

Gesondert gefertigte Teile aus Marmor
Jede Figur der Giebelgruppen ist aus einem großen Marmorblock
gemeißelt (z. B. im Ostgiebel Laomedon XI und Priamos II
jeweils mit ihren Schilden; im Westgiebel der Vorkämpfer II
rechts der Athena mit dem Schild und die Göttin selbst sowie
Aias IX sowohl mit ihren Schilden als auch mit den Helm-
büschen). Köpfe, Beine oder Arme sind in keinem Fall angestückt.
Aber die Schilde waren oft, um die Bruchgefahr zu vermindern,
auf der Drehscheibe dünn ausgeschliffen und angesetzt (Ostgiebel: die Krieger III, VI, VIII; Westgiebel: V, XII, XIII). Viele
einzelne Teile sind aus nicht immer ersichtlichen Gründen gesondert angefertigt: z. B. im Ostgiebel der Helmbusch und die
af. 26 Wangenklappen des Laomedon (XI), die Ägisschlangen der
Athena (I; Hand mit Stück der Ägis Saal IX, Vitrine B: 4), der
Schildbügel des Priamos (II), der Helm in der Hand des einen
Helfers (IV), die Laschen am Panzer des Herakles und die Eck-
af. 27 zähne seines Löwenkopfhelmes (V) – im Westgiebel Einzelheiten
an der Ledermütze des Paris (XI), das Medusenhaupt und die
Schlangen der Ägis der Göttin (I), die Laschen am Panzer des
Teukros (IV). Auch die Waffen waren gesondert gemeißelt,
Schwerter, Schwertscheiden, Bogen und Köcher (zwei Köcher
Saal IX, Vitrine A: 7; Bruchstücke von Waffen im Museum von
Ägina).

Gesondert gefertigte Teile aus Metall
Außer in Marmor waren etliche Einzelheiten auch aus Metall
gearbeitet und angesetzt: aus Bronze die Riemen der Schwert-
af. 29 scheiden und der Köcher, die Pfeile, wohl auch die Lanzen; aus
Blei mitunter Locken und Strähnen des Haars (z. B. im Ostgiebel
af. 25 die unter dem Helm hervorquellenden Haare des Helfers IX und
des sterbenden Kriegers VI; ebenso im Westgiebel Nackenhaare
af. 24 des Aias IX; auch die auf die Brust herabfallenden Haarsträhnen
af. 22 beider Göttinnen und das Stirnhaar der Athena des Ostgiebels;

22. Ägina, Westgiebelgruppe. Schild
mit aufgemaltem Eber als Schildzeichen, Krieger X (Saal VII: 3)

aus Blei wohl auch das Schamhaar des Priamos im Ostgiebel,
II). Aus edlerem Metall waren vielleicht die Ohrgehänge der beiden Göttinnen und Helmverzierungen gefertigt (z. B. im Westgiebel am Helm der Athena und am Helm des Kriegers III). *Taf.*

Die Bemalung der Ägineten

Die jetzt geschwundene, aber mitunter noch in vereinzelten Verwitterungsspuren kenntliche Farbgebung spielte in der Erscheinung der Giebel eine wesentliche Rolle. Zum roten Boden und
blauen Hintergrund des Giebelraums (vgl. Seite 52) kam eine
reiche Bemalung der Figuren selbst (auch in Metall gefertigte
Einzelheiten, wie Bleilocken, müssen bemalt gewesen sein):
Bemalt waren vor allem die Lippen und Augen, das Haupthaar
und das Schamhaar, die Gewänder mit ihren Borten, das Schup-
penfell der Ägis der Göttinnen (Verwitterungsspuren auf der
Ägis im Rücken der Athena des Westgiebels), die Panzer (Verwitterungsspuren auf dem Lederschutzgewand des Paris XI im
Westgiebel), die Helme (Rautennetz auf dem Helm des Helfers
IX im Ostgiebel; Saal VII: 3), Waffen und Schilde (Schildzeichen *Taf.*
im Westgiebel: Adler auf dem Schild des Aias IX; Eber auf dem
Schild von Aias' Gegner X, Saal VII: 3, Abb. 22). – Gleicherweise
waren die First- und Eckbekrönungen des Tempeldaches bemalt:
die Palmettenbäume mit den Mädchenstatuen und die Sphingen
(vgl. Seite 54f. Umschlagbild).

Die Erhaltung der Ägineten

Alle Giebelfiguren sind, obschon ihre zur Rückwand gekehrte
Seite nicht sichtbar war, ringsum in gleicher Sorgfalt bis ins
letzte ausgeführt. Sie waren auch hinten bemalt (z. B. West-

giebel: Schuppen auf der Ägis der Athena; Schildzeichen der
beiden Vorkämpfer II und IX = Aias).–Die Erhaltung der Marmoroberfläche ist in der Regel auf der vor der Witterung geschützten
Rückseite vorzüglich. Kaum verwittert ist im allgemeinen auch
die untere Zone der Figuren auf der «Ansichtsseite» (Füße, Teile
der Unterschenkel u. a.). Mit der früh einsetzenden Verarmung
des Heiligtums ist der Tempel nicht mehr gepflegt worden; die in
den verwahrlosten Giebeln sich sammelnde Erde und Pflanzen-
wuchs haben diese Partien vor Wind und Regen geschützt.

Der Unterschied zwischen der Ost- und Westgiebelgruppe
In den großplastischen Bildern des Ost- und Westgiebels ist der
gleiche mythische Stoff von zwei Meistern aus zwei Generationen
gestaltet worden, die sich zeitlich unmittelbar ablösen und doch
zutiefst voneinander geschieden sind. Der Westgiebelmeister,
der sein Werk am Ausgang des 6. Jahrhunderts v. Chr. hervor-
brachte, steht diesseits des Umbruchs, der sich am Beginn des
neuen Jahrhunderts ereignete (vgl. Seite 24 f.). Er ist als einer der
letzten Bildhauer der «archaischen» Epoche der griechischen
Kunst dieser noch ganz verpflichtet. Aus seinem Giebelwerk
(Abb. 21) spricht noch jene Urlebendigkeit, die uns im Saal I in
den frühgriechischen Jünglingsstatuen vor Augen stand (Saal I:
1–2). Hat der Westgiebelmeister in seinen angreifenden, sich
wehrenden, knienden oder gestürzten Kämpfern die bewegte
menschliche Gestalt in vielfachen Abstufungen verbildlicht, so
ist diese Bewegtheit doch eine durchaus gebundene, in sich
unverrückbar verharrende Bewegtheit, die dem steilen und auf-
rechten Wuchs der stehenden Jünglinge im Saal I entspricht.
Von dem schweren «Agon» vor Troja wird im Westgiebel in einer
leichtgesinnten, ja in fast heiterer Gestimmtheit berichtet. Die
Westgiebelgruppe ist «bunt» und vielgliedrig und sie mutet uns
wie ein lieblich-ernstes, kompliziertes Versgebilde an. Die sehr
betont agierenden Figuren des Westgiebels sind in ihrer akzent-
reichen Konturiertheit dem Auge gefällig, und sie bilden in
ihrer Abfolge und gegenseitigen Überschichtung ein durch-
sichtiges Netzwerk. Der Giebelraum war dem Westgiebelmeister
mehr eine vertiefte Fläche, die er mit seinem Figurengeflecht aus-
zufüllen bestrebt war. Er hat das Dreieck des Giebels kunstvoll
genutzt, aber seine Giebelgruppe hat keinen wirklichen Bezug
zum Rahmen.

*af. 5
nd 7*

Im Ostgiebel öffnet sich der Raum (Abb. 20). Die Giebelatmosphäre umspült die Gestalten, die geringer an Zahl sind und größer und gewichtiger geworden sind. Sie bilden nicht mehr flächig verspannte Elemente eines Figurengitters wie im Westgiebel, sondern sie sind autonome Wesen geworden, aus eigener Kraft handelnde Akteure eines ganzheitlichen, dramatischen Vorgangs, der sich auf der Dreiecksbühne entfaltet, sie rhythmisch erfüllt, ihre Weite und Tiefe in neuer Bewegtheit durchdringt. Der Meister, der nach der Bauunterbrechung am Tempel im zweiten Jahrzehnt des 5. Jahrhunderts die Ostgiebelgruppe ausführte, war ein Pionier der neuen Zeit, der «klassischen» Epoche. Seinen Gestalten fehlt jene farbige Festlichkeit, die der Westgiebelmeister seinem Giebelbild gegeben hatte; sie agieren nicht mehr in naiver Unschuld, sondern handeln willensmäßiger. Tun und Erleiden sind von Bewußtsein beschattet.

Der bedeutsame Unterschied zwischen den beiden Giebelbildern wird zumal an den im Kampf unmittelbar aufeinander bezogenen Kriegern und auch an einzelnen Kriegern anschaulich. So können die drei ersten dramatisch verdichteten Gestalten in der rechten Hälfte des Ostgiebels (II–IV: Priamos; sein taumelnder Gegner; dessen aus der Giebeltiefe herbeieilende Nothelfer) den gleichsam aufgereihten vier Kriegern im Westgiebel links außen verglichen werden (XI–XIV: Paris, ein geduckter Kämpfer und zwei Gestürzte). Dem Herakles im Ostgiebel (V), der seinen Bo- *Taf.* gen mit gewichtigem Bemühen spannt, steht im Paris des West- *Taf.* giebels (XI) ein fast heiter und schwebend agierender Schütze gegenüber. In dem von Herakles' Pfeil getroffenen Troerkönig Laomedon (XI) hat der Ostgiebelmeister den von der Not seines *Taf.* Schicksals belasteten Menschen gestaltet; unbeschwert erzählt der Westgiebelmeister das gleiche Thema in dem verwundeten Krieger rechts außen (VII).

Kriegergruppe und Gruppe mit Zeus und Ägina vom Altarplatz des Heiligtums von Ägina (Saal VII: 4 und Saal IX Vitrine A und Vitrine B).

Außer den Gruppen des Ost- und Westgiebels fanden sich im Heiligtum der Aphaia Bruchstücke von zwei Gruppen, die vor der Ostfront des Tempels aufgestellt waren: Eine Gruppe mit kämpfenden und gefallenen Kriegern, zu der auch eine Athena gehörte, und eine Gruppe, die den Raub der Nymphe Ägina durch

23. Ägina, Gruppe mit Zeus und der Nymphe Ägina (Bruchstücke
    Saal IX, Vitrine B)

Zeus darstellte. Ausführung und Stil lassen erkennen, daß beide
Gruppen in der Werkstatt des Westgiebelmeisters gearbeitet
sind (505/500 v. Chr.). Die Figuren entsprechen in den Maßen den
Figuren des Westgiebels.

Kriegergruppe. Von einem Schützen sind beide Arme erhalten,
die den Bogen spannten (ausgestellt Saal VII: 4). Der gewiß als
Troer aufgefaßte Schütze trug, wie Paris im Westgiebel (XI),
die «skythische» Lederschutzkleidung. Mit derselben Figur sind
wohl auch ein rechter Fuß und einer der beiden Köcher, Saal IX,
Vitrine A (7), zu verbinden. Ebendort ist auch das Bruchstück
der Athena der Kriegergruppe ausgestellt (12). (Im Nationalmuseum Athen und im Museum von Ägina etliche weitere Bruchstücke derselben Gruppe: vier Kriegerköpfe, Hände u. a.)

Gruppe mit Zeus und Ägina. Der Gegenstand der Gruppe ist der
Mythos vom Raub der Nymphe Ägina, einer der zahlreichen
Töchter des peloponnesischen Flußgottes Asopos, durch Zeus.
Der Sohn des Zeus und der Nymphe, die der Insel Ägina den
Namen gab, ist Aiakos, der Urfürst von Ägina, dessen Sohn
und Enkel die beiden Feldzüge gegen Troja unternahmen (das
Thema des Ost- und Westgiebels des neuen Tempels; vgl.
Seite 60f.). – Von dieser Gruppe sind erhalten (Saal IX, Vitrine B:
7–10): Füße der Ägina mit einem Gewandstück (7); ihr linker
Unterarm mit dem Ärmel (8); ein Fragment ihres rechten Ärmels
(9); der linke Arm einer Schwester der Ägina (10). Die Bruchstücke sind in der Rekonstruktion der Gruppe Abb. 23 schraffiert
(nach einem attischen Vasenbild; Zeus, Ägina und drei Schwestern der Ägina). Der mit dem Blitz drohende Zeus, die Nymphe

af. 29

Ägina, die flehend den Bart des Entführers berührte, und eine ihrer Schwestern, bei der Ägina mit der anderen Hand Schutz suchte, bildeten drei motivisch eng verflochtene Figuren. Um sie zu verbinden, hat der Bildhauer die Unterarme der Ägina gesondert gearbeitet und eingefügt (Saal IX, Vitrine B: 8–9; der linke Unterarm mit Ansatzflächen auf beiden Seiten; der rechte Ärmel mit Zapfenloch für den Unterarm). Die feingliedrige Hand der nach rechts hin fliehenden Schwester der Ägina, die im Lauf ihren Mantel erfaßt hatte, läßt besonders die vorzügliche Arbeit der Gruppe erkennen (Saal IX, Vitrine B: 10).

Die Fundstücke bezeugen, daß zu Beginn der Bauzeit des neuen Tempels der Aphaia für den Ostgiebel zwei Themen der äginetischen Sage zur Wahl gestanden haben, und daß für beide nicht nur Entwürfe vorlagen, sondern auch eine Anzahl von Figuren fertig ausgearbeitet wurde. Neben dem Mythos von der göttlichen Herkunft des Aiakidengeschlechts war der zweite in Aussicht genommene Stoff für den Schmuck des Ostgiebels die Sage vom ersten troischen Feldzug durch den Aiakiden Telamon. Eben dieses Thema sollte nach der Bauunterbrechung am Tempel, die die Fertigstellung der Ostfront um nahezu zwei Jahrzehnte verzögerte, von dem nunmehr beauftragten Künstler der neuen Generation neugefaßt werden; sein Werk wurde im Dach des Tempels aufgestellt. – Die vom Westgiebelmeister ausgeführten Figuren blieben Eigentum der Göttin. Sie wurden entsprechend den Giebelgruppen in zwei gestreckten, auf der einen Seite offenen Schutzbauten aufgestellt (vgl. Seite 50 zu den Fundamenten der Gehäuse im Norden und Süden des Altarplatzes; Grundriß des Heiligtums Abb. 14 Nr. 3). Außer den beiden Gruppen kam auch eine zunächst für die Ostfront vorgesehene Firstbekrönung, vermutlich gleicherweise eine Arbeit der Werkstatt des Westgiebelmeisters, auf dem Altarplatz zur Aufstellung (Firstbekrönung Saal VIII: 3; Seite 55).

X SAAL DES ALEXANDER

In der Mitte des Saals X (Nordostecke der Glyptothek) die Statue des nach der Herkunft aus dem Palazzo Rondanini in Rom benannten *Alexander (1)*, eines der eindrucksvollsten Porträts und das einzige vorzüglich erhaltene zeitgenössische Standbild des großen Makedonen (das rechte Bein ist modern ergänzt). Zahlreiche zeitgenössische Porträts Alexanders sind uns literarisch überliefert: Gemälde von Apelles (eines im Artemistempel von Ephesos zeigte den jungen König mit den göttlichen Attributen der Weltherrschaft, Blitz und Ägis), statuarische Bildnisse von Lysipp, Praxiteles, Leochares, Euphranor. Von dem Athener Leochares und dem korinthischen Künstler Euphranor wurde Alexander als Prinz nach der Schlacht bei Chäronea 338 v. Chr. (Böotien, Mittelgriechenland) dargestellt, die die makedonische Führung über Griechenland einleitete und in der Alexander seinem Vater, König Philipp II. zur Seite stand. Leochares hatte

24. Statue des athenischen Redners
Demosthenes (Saal X: 2 und 3)

Standbilder der königlichen Familie aus Gold und Elfenbein
gearbeitet, die gleich Götterbildern in einem als Ruine noch erhaltenen Rundtempel im Zeusheiligtum von Olympia, dem sogenannten Philippeion, aufgestellt waren. Euphranor schuf aus
Bronze eine auf die Schlacht bezogene große Gruppe: Vater
und Sohn «in quadrigis» – mit Streitwagen und Viergespann. Auf
diesem Werk beruht zweifellos die römische Kopie des «Alexander Rondanini» in der Glyptothek. Der Prinz ist der Rosse-
lenker des Vaters, der selbst auf dem Wagen gestanden haben
wird. Im Begriff, den Wagen zu besteigen, hielt Alexander,
den Blick in die Ferne gerichtet, mit beiden vorgestreckten Händen die Zügel. Das Bildnis ist ganz auf Seitenansicht von links her
angelegt, in der sich die Bewegung des Körpers und des Kopfes
mit dem gewaltigen Haarwuchs des «Löwen» frei entfaltet (die
Stütze in Form eines Panzers mit Gewand ist Zutat des Kopisten).
Bildnis des Demosthenes (2 und 3). «Wenn Du gleiche Macht
gehabt hättest wie Einsicht, Demosthenes, hätte nie der Makedonen Kriegsgott Griechen unterworfen», so war auf dem
Postament des im Altertum bewunderten Standbilds des De-

mosthenes von der Hand des Polyeuktos zu lesen. Der Kopf
dieser Statue ist in nicht weniger als vierzig Kopien bezeugt, zu
denen der mit einer «Herme» verbundene Kopf in der Glyptothek
zählt (2). Zu zwei bisher allein bekannten Kopien der ganzen Gestalt kommt als eine dritte, frisch gearbeitete Kopie der Torso,
der neben der Herme aufgestellt ist (3, Leihgabe). Das originale
Bronzestandbild des athenischen Gerichts- und Staatsredners
(Abb. 24), der für Freiheit und Unabhängigkeit Athens und anderer Städte Griechenlands sich mit unablässiger Energie gegen
die drohende makedonische Tyrannis eingesetzt hatte und der,
nach Alexanders Tod an einem Aufstand beteiligt und zum Tod
verurteilt, durch Gift endete, ist 42 Jahre später (280 v. Chr.) auf
Antrag seines Neffen auf dem Marktplatz von Athen errichtet
worden. «Finsterer Ernst lag stets auf seinem Gesicht und nicht
leicht wich der Ausdruck der Sorge und des Nachdenkens von
seiner Stirn» berichtet noch ein später Biograph (Plutarch) von
der Erscheinung des Demosthenes, wie sie Polyeuktos in seiner
unvergleichlichen Ehren- und Gedächtnisstatue gestaltet hatte:
Der von unendlicher Mühsal verzehrte und willensmäßig ange-
spannte Mann war in diesem Werk den Bürgern seiner Vaterstadt wiedergeschenkt, das von Sorgen gezeichnete Antlitz zur
Rechten geneigt, die Hände in erregter Beherrschung gefaltet,
die hagere Gestalt von den straffen und sperrigen Falten des einfachen Gewandes zurückgedrängt und eigenwillig durchkreuzt –
ein Denkmal, schlicht und groß in Einem. Das persönliche Schicksal ist in einer Schärfe, wie sie bis dahin der griechischen Kunst
noch fremd war, aus der «Nähe» gezeichnet und doch auch über
eine äußere Realität und individuelle Zeitlichkeit herausgehoben
und zu einem Bild der allgemeinen menschlichen Tragik ge-
steigert. Das griechische, immer die ganze Gestalt des Menschen
umfassende Bildnis hat der späte Kopist, der den Kopf allein im
Sinne des römischen «Kopfporträts» herauslöste und ihm die
Starre einer formal bedeutungslosen Herme aufzwang, mißver-
standen (Vitrine: Kleine römische Kopie der Bildnisstatue).
Der *Torso einer Frauenstatue (11)* mit einem Mantel, der die Falten
des Untergewands (des Chiton) durchschimmern läßt, ist zweimal in Marmor ergänzt worden, zuerst von Pacetti (18. Jahrhundert) und nach Abnahme dieser Ergänzungen durch Thorvaldsen
(1812). In dieser Fassung erwähnt sie Adalbert Stifter, der sie
1846 in München sah, im Nachsommer als das «Mädchen von

Cumae». Das Original, das in der Statue, vielleicht einer römischen Porträtstatue, nachgebildet ist, gehörte vermutlich zu einer in Ostgriechenland aufgestellten Musengruppe.

Aus venezianischem Besitz wie die Athenastatuette Saal III: 12 (Palazzo Giustiniani-Recanati: vgl. Seite 29) stammt die kleine, festlich gewandete und feierlich bewegte Frauengestalt, *Torso (12)*, die sicherlich zu einer Gruppe gehörte und nach ihrer Armhaltung wohl die Leier spielte. Es ist denkbar, daß die Gruppe als Firstbekrönung auf einem Tempel aufgestellt war.

Auf dem ostgriechischen *Grabrelief des Hiras (6)* ist nach den Namen des Toten und seines Vaters das Grußwort «chaire» = lebe wohl! zu lesen. Hiras (ein Dichter?) erscheint vor einer halb angelehnten Tür in anspruchsvoll statuarischem Gestus, der uns weit vom stillen Atem der Lebensbilder auf klassischen Grabmälern des 5. und 4. Jahrhunderts entfernt (Saal IV und Saal VI). Das hohe, sechseckig vorgestellte Postament, auf das sich der heroisierte Tote lässig stützt, trägt eine «Herme», ein pfeilerförmiges Kultbild, vielleicht des Dionysos. Neben Hiras zwei im Maßstab untergeordnete Diener; der eine trägt zusammengebundene Buchrollen, der zweite hat die Hand betrübt an seine Wange gelegt. Den Sockel des Grabsteins zieren Sphingen und eine Girlande mit dem Schädel eines Opferstiers. Säulen tragen Gebälk und Fries mit Urne, Rosetten und Flügelgenien, diese das Giebeldach.

Die Inschrift auf dem *Grabstein des Eutaktos 8* (den Verstorbenen grüßt ein Kind mit Kanne) berichtet, daß (Rat und) Gemeinde dem toten Eutaktos, dem Sohne des Eutaktos, für seine Vaterlandsliebe einen goldenen Kranz gestiftet hat.

Die von einem Giebel mit pflanzlichen Ornamenten bekrönte *Ehrenurkunde (9)* besagt, daß ein Saupheios Maker, Priester des römischen Kaiserkults, aus eigenem Antrieb athletische Übungen für Jugend und Alter veranstaltete, und daß er im Jahr 125 der Zählung (= 40 n. Chr.) das Geld, das ihm aus dieser Tätigkeit zufloß, zur Errichtung eines städtischen Lebensmittelmarktes verwendet hat.

Auf dem römischen *Relief (13)* steht vor einer Priesterin (?) ein dreibeiniger Untersatz mit einem Kultbehältnis (einer «Ciste»), davor ein Räucherständer, in dessen Glut ein opfernder Mann, von einem kleinen Knaben mit Kanne assistiert, aus seiner Büchse streut.

XI SAAL DER RÖMISCHEN BILDNISSE

A. Die Bildnisse und ein großes Reliefmonument aus Rom im ersten Joch des Saals (vgl. Seite 81, Abb. 25)

1 Büste des Augustus (reg. 31 v. Chr. – 14 n. Chr.). Posthumes Bildnis, 40/50 n. Chr. (Tafel 37)
2 Statue der Kaiserin Livia, der Frau des Augustus (Torso; Gewandstatue in Anlehnung an griechische Vorbilder des 4. Jahrhunderts v. Chr.). Nach 14 n. Chr.
3 Büste des Tiberius (Kaiser 14–37 n. Chr.)
4 Kaiserin Agrippina, die Frau des Claudius (Kaiser 41–54 n. Chr.); Kopf einer Statue
5 Gaius Octavius (Vater des Augustus)? Kopf einer Statue. Um 60 v. Chr.
6 Büste eines jungen Mannes, 40/30 v. Chr. (Tafel 34)
7 Kopf eines alten Mannes, um 40 v. Chr.
8 Kopf eines Mannes, 30/20 v. Chr.
9 Junge Frau, Büste. 50/60 n. Chr.
10 Frau mit hoher Lockenfrisur, Büste. Um 80 n. Chr.
11 Kahlköpfiger Priester (Bruchstück). Um 80 n. Chr.
12 Büste eines Mannes, um 90 n. Chr.
13 Sogenannter Marius, Büste. 50/40 v. Chr. (Tafel 35)
14 Sogenannter Sulla, 50/40 v. Chr. Die große Gewandbüste nicht antik (von Alessandro Algardi im 17. Jahrhundert hinzugefügt, hierbei die ehemals schmale Büste des «Sulla» abgearbeitet und der Kopf poliert)
15 Panzerstatue eines römischen Feldherrn, um 70 v. Chr.
16 Relieffriese eines großen rechteckigen Monuments aus Rom. Erste Langseite und Schmalseiten: Hochzeitszug des Poseidon und der Amphitrite. Zweite Langseite (Abguß nach Original im Louvre, Paris): römischer Staatsakt mit Opfer auf dem Marsfeld in Rom. Um 70 v. Chr. (Tafel 33)

B. Die Bildnisse, Gladiatorenrelief und großes Mosaik im zweiten Joch des Saals (vgl. Seite 84, Abb. 26)

17 Büste des Trajan (Kaiser 98–117 n. Chr.). 100/110 n. Chr.
18 Kopf eines Dichters, 100/110 n. Chr.

19 Büste eines Mannes, 110/120 n. Chr. (Tafel 38)

20 Knabenkopf; von einer Statue. 100/110 n. Chr.

21 Büste eines Mannes, um 110 n. Chr.

22 Kopf eines Mannes (Bruchstück), um 120 n. Chr.

23 Priesterkopf mit Haube, um 120 n. Chr.

24 Kopf einer Frau, um 100 n. Chr.

25 Statue einer Frau (Gewandstatue nach griechischem Vorbild des 3. Jahrhunderts v. Chr.), 110/130 n. Chr.

26 Kopf einer Frau mit hohem Diadem (vielleicht Kaiserin Plotina, Frau des Trajan), 100/110 n. Chr.

27 Kopf einer Frau, 90/100 n. Chr.

28 Kopf der Kaiserin Faustina, Frau des Marc Aurel (Kaiser 161–180). Aus Syrien, 160/170 n. Chr.

29 T. Caesernius Statianus, Staatsmann des Hadrian (Kaiser 117–138) und des Antoninus Pius (Kaiser 138–161); Kopf einer Panzerstatue. Um 130 n. Chr. (Tafel 36)

30 Büste des Antinous; nach seinem Tod als Gott verehrter Liebling des Kaisers Hadrian. 130/135 n. Chr.

31 Büste des Apollodoros. Vermutlich posthumes Bildnis des Baumeisters der Kaiser Trajan und Hadrian. Um 140 n. Chr.

32 Große Büste des Antoninus Pius (Kaiser 138–161); Panzer und Mantel (Paludamentum). Büstenfuß mit Inschrifttäfelchen für den Namen (ehemals gemalt). Um 150 n. Chr.

33 Büste eines Mannes, 130/140 n. Chr. (Tafel 39)

34 Kopf einer Priesterin mit Ährenkranz, um 140 n. Chr.

35 Kopf eines Mannes, um 170 n. Chr.

36 Kopf eines jugendlichen Mannes, um 190 n. Chr.

37 Kopf eines Mannes; von einer Statue. 180/190 n. Chr.

38 Büste eines Mannes; Tunica und Paludamentum. Um 170 n. Chr.

39 Lucius Verus Mitregent (161–169) des Marc Aurel (Kaiser 161–169 n. Chr.). Büste mit Panzer und Paludamentum

40 Büste des jugendlichen Lucius Verus um 150 n. Chr.

41 Relief eines großen Monuments mit Szene aus einem Gladiatorenkampf, 1. Jahrhundert v. Chr.

42 Großes Bodenmosaik einer römischen Villa. Aus Sentinum (Mittelitalien), 200/250 n. Chr.

C. Die Bildnisse, zwei Sarkophage und Fries aus der Basilica Ulpia
in Rom im dritten Joch des Saals (vgl. Seite 89, Abb. 27)

43 Zwei Bildnisse des Commodus (Kaiser 180–192 n. Chr.);
    Kopf und Büste mit Panzer und Paludamentum
44 Kopf eines alten Mannes, 190/200 n. Chr.
45 Büste eines Mannes, um 220 n. Chr.
46 Statue einer Frau (Gewandstatue nach griechischem Vor-
    bild des 5. Jahrhunderts v. Chr.). Um 170 n. Chr.
47 Büste eines Mannes; Tunica und Paludamentum. Um
    200 n. Chr.
48 Kopf eines Mannes (Bruchstück), um 220 n. Chr.
49 Septimius Severus (Kaiser 193–211); nicht zugehörige an-
    tike Büste mit Panzer und Paludamentum. 200/210 n. Chr.
    (Tafel 40)
50 Kopf des Caracalla; der Sohn des Septimius Severus als
    Knabe (Caracalla Kaiser: 211–217 n. Chr.). 196 n. Chr.
51 Kopf der Kaiserin Julia Domna, der Frau des Septimius
    Severus. Um 195 n. Chr. (Tafel 43)
52 Kopf des Philippus (Sohn des Kaisers Philippus Arabs),
    247/249 n. Chr.
53 Büste einer Frau, vielleicht der Kaiserin Otacilia Severa, der
    Frau des Decius (Kaiser 249–251). 240/250 n. Chr. (Tafel 41)
54 Kopf eines Mannes; vielleicht des Decius (Kaiser 249–251).
    240/250 n. Chr.
55 Kopf eines Mannes; von einer Statue. Um 240 n. Chr. (Tafel 44)
56 Große Büste eines Mannes, 220/230 n. Chr.
57 Kopf eines Mannes, um 260 n. Chr.
58 Kopf eines Mannes, 260/270 n. Chr.
59 Büste eines Mannes, 250/260 n. Chr.
60 Kopf einer Frau, um 260 n. Chr.
61 Kopf eines Mannes; von einer Panzerstatue oder Panzer-
    büste, 270/290 n. Chr.
62 Frauenkopf, zweite Hälfte des 4. Jahrhunderts n. Chr.
63 Großer Kopf eines Mannes. Anfang des 4. Jahrhunderts
    n. Chr. (?)
64 Kopf eines Mannes, um 400 n. Chr. (Tafel 42)
65 Großer Sarkophag eines Ehepaares, um 240 n. Chr.
66 Bruchstücke eines großen Sarkophags mit Relieffries,
    250/260 n. Chr. (Tafel 45)

67 Fries vom Gebälk der Basilica Ulpia in Rom. Einweihung der
Basilica 112 n. Chr.

RÖMISCHE BILDNISSE

Der 37 m lange und größte Saal XI bildet die Ostfront des Gebäudes. Er war der «Römersaal» der alten Glyptothek, bevor seine
Gewölbe und Wände im Krieg zerstört wurden. Jetzt sind hier
wieder die römischen Bildnisse versammelt. Als Werke hoher
bildhauerischer Qualität verdienen viele von ihnen Bewunderung.
Die Bildnisse stehen in einer Gruppierung, die die günstigste Beleuchtung sucht und den Besucher lenkt und ihm erlaubt, sich
frei unter ihnen zu bewegen.
Vordem waren die meisten Römerköpfe symmetrisch und nach   *Taf. 2*
ihrer Größe auf Wandborden aufgereiht ohne Rücksicht auf Entstehungszeit und Meisterschaft des einzelnen Werkes. Einige
Köpfe standen auf paarweise postierten hohen Säulen dem Betrachter entrückt, viele waren in die Schattenzonen des Saals
verwiesen. Als Gebilde einer lebendigen plastischen Kunst blieben die Bildnisse weitgehend dem Auge verschlossen. Wesentlich mehr Bildnisse waren in dem alten Römersaal gezeigt. Jetzt
ist eine strengere Auswahl getroffen, die den großen Raum leb-
hafter erfüllt. Die alte von dekorativen Gesichtspunkten aus-
gehende Darbietung der römischen Porträtgalerie ist gewisser-
maßen historisch «richtig» gewesen. Für die neue Aufstellung
trifft dies nicht zu.
Die Bildnisse der Römer hatten einstmals ihren Platz im Schrein
oder in der Nische. Sie waren auch im Altertum wandgebunden
und konnten auch gedrängt zusammengestellt oder durch eine
hohe Aufstellung der Betrachtung entzogen sein. Nicht als Kunstwerke, als die wir sie heute in erster Linie sehen, sondern als
dauernde Würdigung des Dargestellten waren die Bildnisse be-
deutungsvoll: Sie vergegenwärtigten den verstorbenen Bürger,
den verstorbenen Staatsmann und Herrscher, oder sie repräsen-
tierten die lebende Persönlichkeit von Rang, den hohen Beamten,
den Kaiser, die Mitglieder des Kaiserhauses. – Die einstige Ge-
bundenheit der Römerbildnisse ist allenthalben erkennbar. Die
Büste vor allem ist deutlich «einansichtig». Wie ihr Körperaus-
schnitt mit der rückwärtigen Aushöhlung der Wand zugekehrt

GLYPTOTHEK UND ANTIKENSAMMLUNGEN
München, Königsplatz

ÖFFNUNGSZEITEN

Glyptothek	täglich außer Montag 10–16.30 Uhr
	Donnerstag Abend 19–21 Uhr
Antikensammlungen	täglich außer Montag 10–16 Uhr
	Mittwoch Abend 19–21 Uhr

Beide Museen sind bis 12 Uhr geöffnet:
Faschingssonntag; Faschingsdienstag; 31. Dezember

Beide Museen sind ganztägig geschlossen:
Neujahr; Karfreitag; Ostersonntag (Ostermontag geöffnet!); 1. Mai; Pfingstsonntag (Pfingstmontag geöffnet!);
Fronleichnam; 17. Juni; Allerheiligen; 24. u. 25. Dezember

EINTRITTSPREISE

Glyptothek	DM 1.50 (Ermäßigungskarte
	DM –.80; Schüler DM –.20)
Antikensammlungen	DM 1.50 (Ermäßigungskarte
	DM –.80; Schüler DM –.20)

Besuch beider Museen am gleichen Tag DM 2.00
Studenten haben freien Eintritt

An Sonn- und Feiertagen freier Eintritt

war, so ist auch oft die hintere Partie der Köpfe vernachlässigt
geblieben, das Haupthaar hinten nur vom Meißel angelegt. Auch
die drei Frauenstatuen (2, 25, 46) sind flächig und einansichtig.
Die Römerköpfe sind durch die Intensität im Ausdruck des Antlitzes richtungsbetont. Aber dennoch sind sie durchaus plastisch
geformte, physisch-bewegte Gebilde. Antlitz und Blick sind immer wieder aus der Achse herausgewendet; und selbst die so
unkörperliche Schale der Büste nimmt an der Bewegung des
Hauptes teil, als sei sie ein Stück des lebendigen Leibes. Der
Betrachter der römischen Porträtgalerie wird daher die «unhisto-
rische» räumliche Begegnung mit den physisch nahen Köpfen,
wie ebenso das Licht, das ihr Leben erschließt, nicht missen
wollen.

Die Porträts der Römer waren in der Mehrzahl Porträtbüsten (die
Büsten selbst sind in vielen Fällen verloren). Zu den Bildnisbüsten kommen Bildnisstatuen (die Statuen können oft nurmehr
erschlossen werden; und von etlichen Köpfen ist der ehemalige
Zusammenhang nicht mehr zu bestimmen).

Die im Saal XI versammelten Porträts lassen uns ein halbes
Jahrtausend der römischen Bildniskunst durchwandern. Die im
2. Jahrhundert v. Chr. bezeugte Sitte römischer Ahnenverehrung,
sich das Antlitz der Verstorbenen «in vorzüglicher Ähnlichkeit
hinsichtlich der Form» in Totenmasken zu bewahren, war die
äußere Voraussetzung zu der Ausbildung der römischen Bildniskunst. Führende Persönlichkeiten des republikanischen Rom haben gewiß den ersten Anstoß zu der epochemachenden, über
Jahrhunderte kraftvoll sich entfaltenden bildhauerischen Diszi-
plin gegeben, die im 1. Jahrhundert v. Chr. einsetzte und in ihren
Anfängen zweifellos ausschließlich von griechischen Künstlern
getragen war. Zugewandert und heimisch geworden waren es aus
jahrhundertelanger Tradition des Meißels und der physiognomi-
schen Beobachtung kundige griechische Bildhauer, die im Dienst
römischer Auftraggeber die ersten Werkstätten Roms ins Leben
gerufen hatten, aus denen die frühesten unverwechselbaren
Marmorbildnisse des römischen Menschentums hervorgegangen
sind. Sie werden bald auch mit Aufträgen aus der breiteren Bürgerschaft bedacht worden sein, die sich die neuen gekonnt-
lebendigen Ahnenbildnisse, Männer, Frauen und Kinder, fertigen
ließ, um sie im Hause oder in der Grabstätte oder auch entsprechend dem Ansehen eines Römers öffentlich aufzustellen. Rom

blieb fortan das Zentrum der eigenständig sich entwickelnden
Porträtkunst im römischen Reich. Die in der Glyptothek ausgestellten Bildnisse sind fast ausnahmslos «stadtrömische» Werke.
Seit der Zeitwende waren für die Entfaltung und Wandlung der
römischen Porträtkunst die in Rom geschaffenen Bildnisse der
göttlich verehrten Kaiser und Kaiserinnen, der Kaiserkinder und
kaiserlichen Angehörigen richtungweisend. Sie fanden in Rom
wie im ganzen römischen Herrschaftsgebiet in zahlreichen Kopien und Nachbildungen Verbreitung, um allerorts von Staats
wegen in Tempeln und Heiligtümern, in öffentlichen Gebäuden
und auf öffentlichen Plätzen aufgestellt zu werden.

Die Büste ist die charakteristisch römische Bildnisform. In ihrer
betonten Beschränkung auf den Kopf als den Ausdrucksträger
der Person ist sie wesentlich der griechischen Auffassung vom
gestalthaften, ganzheitlichen Dasein des Menschen fremd. – Der
noch sehr schmale, unterhalb der Schlüsselbeine abgerundete
Halsausschnitt der älteren Büsten des 1. Jahrhunderts v. Chr.
(z. B. Büsten des sogenannten Marius und eines jugendlichen *Taf. 3*
Römers: 13 und 6) weitet sich im Verlauf des 1. und 2. Jahrhun- *und 3*
derts n. Chr. aus: Die Büste reicht bis an den Schulteransatz
(Büste des Augustus: 1); sie greift auf die Schulter über (zwei *Taf. 3*
Männerbüsten: 12, 19). Die große bewegte Büste wird immer *Taf. 3*
mehr zu einem repräsentativen Träger des «Kopfporträts». Sie
umschließt im Verlauf des 2. Jahrhunderts den Ansatz der Oberarme und die Brustmuskeln (Büsten des Apollodoros und eines
Unbekannten: 31, 33). Die Oberarme und der Oberkörper bis un- *Taf. 3*
ter die Brust werden miteinbezogen (Büsten der «Otacilia Severa» *Taf. 4*
und eines Unbekannten: 53, 56). – Seit dem 2. Jahrhundert ist die
Panzerbüste und die reich gewandete Büste eine beliebteBüsten-
form (Büste des Antoninus Pius mit Panzer und Paludamentum;
Büste eines Unbekannten mit Tunica und Paludamentum; Büste
der «Otacilia Severa»: 32, 38, 53). – Die älteren fußlosen Büsten
(z. B. die Büsten 13, 6 und 12) waren am Ort ihrer Aufstellung *Taf. 3*
(Nische oder «Aedicula» = Schrein) befestigt oder auch in pfei-
lerförmige Schäfte (Hermen) eingelassen, die nur selten gerettet
sind. Die auf einem geschwungenen, zylindrischen Fußgestell
selbständig stehende Büste kommt um 80/90 n. Chr. auf. Zwischen Büste und Fuß ist jetzt ein zierliches, seitlich profiliertes
Inschrifttäfelchen eingeschoben, auf dem der Name des Por-
trätierten eingemeißelt ist (Büste des Apollodoros: 31) oder nur

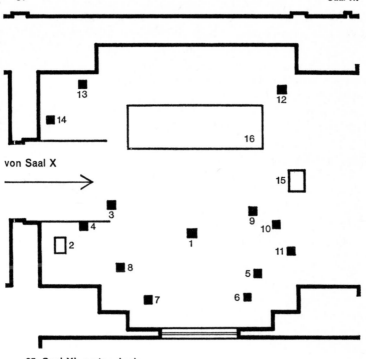

25. Saal XI, erstes Joch

af. 39

aufgemalt war. Der Fuß ist im allgemeinen selten erhalten (voll-
ständiger Büstenfuß: Antoninus Pius, 32), und auch das Täfel-
chen ist in vielen Fällen gebrochen oder modern entfernt worden
(Büsten mit erhaltenen Inschrifttäfelchen: 31, 33, 38, 40). – Die
Marmorbildnisse waren ursprünglich farbig gefaßt (vgl. Seite 18):
Die gänzlich verblichene Bemalung der Augen, des Mundes, der
Haare, von Gewand, Bewaffnung und Attributen muß sich der
Betrachter in der Vorstellung ergänzen.
In den drei durch Wandpfeiler abgesetzten Jochen des Saals XI
sind die Römerbildnisse im großen Ganzen chronologisch grup-
piert.

A. Die Bildnisse im ersten Joch des Saals (vgl. Abb. 25)

Wir überblicken im ersten Joch ein und ein halbes Jahrhundert der römischen Porträtplastik: von den Jahrzehnten vor der Mitte des 1. Jahrhunderts v. Chr. bis gegen Ende des 1. Jahrhunderts n. Chr. Es begegnen hier zunächst *republikanische Bildnisse* (ca. 70 bis 30 v. Chr.): die Panzerstatue eines unbekannten römischen Feldherrn (15); der Kopf einer verlorenen Panzer- oder Gewandstatue, die möglicherweise Gaius Octavius, den Vater des Kaisers Augustus darstellte (5); Büsten des sogenannten Marius und des *Taf.* sogenannten Sulla, die von einem Bildhauer als Gegenstücke gearbeitet sind und jedenfalls zwei Republikaner von Rang vorstellten, die man gern benennen möchte (13 und 14; die Gewandbüste, in die der Kopf des «Sulla» eingelassen wurde, ist das Werk eines Renaissancekünstlers); schließlich die Büste eines jugendlichen und der Kopf eines alten Römers (6 und 7). *Taf.*

Die politisch bewegte republikanische Zeit Roms spiegelt sich in den Bildnissen, die sie hervorgebracht hat. Wir sehen uns dem «Typus Römer» gegenübergestellt, dem Römertum, dem der Ausruf des römischen Dichters Vergil (70–21 v. Chr.) gegolten hat: «Tu regere imperio populos, Romane, memento!» (Du bedenke, Römer, die Völker mit deinem Befehl zu lenken!). Das gilt noch nicht so ausgesprochen für das Bildnis des römischen Feldherrn (15), dessen Panzer im Relief mit einem Medusenhaupt, einer Waffentrophäe (Baumstamm mit Waffenrock, Helm, Schild, Schwert) und zwei Siegesgöttinnen (Victorien) mit Zweig und Kranz geschmückt ist. Das Porträt des Feldherrn ist charakteristisch für das verlöschende pathetische Leben der spätgriechischen Kunst; der Bildhauer, der den Auftrag zu diesem Standbild erhielt, hatte das Vitale und Unverbrauchte des römischen Menschentums noch nicht erfaßt, wie es die Künstler der neuen Porträtwerkstätten Roms mit Leidenschaft aufgreifen sollten. Wir erkennen den echten Römer der Republik in dem gesunden Bauerngesicht des gezielt und feurig blickenden «Gaius Octavius» (5); in der jähen, energischen Kopfwendung und übersteigerten Erregtheit des brillant gemeißelten Bildnispaars eines «Marius» und eines «Sulla» (13 und 14). Das hochgetriebene und *Taf. 3* doch kraftvolle Pathos solcher Republikaner sammelt sich in dem vortrefflichen Kopf des jungen Römers (6) zu gedämpfter Glut. *Taf. 3* Nüchterner, von gequältem Ernst erfüllt ist das meisterhafte Porträt des alten Römers (7).

Kaiserzeitliche Porträts (ca. 30 v. Chr. bis 90 n. Chr.: die Bildnisse 1, 3, 4, 8–12; Torso einer Bildnisstatue 2). – Der Römerkopf
(8) steht am Beginn der Kaiserzeit als Werk aus den frühen Jahren der Herrschaft des Augustus (31 v. Chr.–14 n. Chr.). Der aus-
drucksvolle Kopf bekundet eine verhaltene und abgeklärte Wil-
lenskraft, die uns auch noch aus dem herrlichen posthumen Bildnis des Augustus (1) anspricht, das auf ein zeitgenössisches
Porträt des Kaisers zurückgeht. Aber die ruhige Kühle der Bildnisse augusteischer Zeit hat der spätere Bildhauer der Augustus-
büste, die erst in der Regierungszeit des Claudius (41–54; Kopf der
Frau des Kaisers Claudius, Agrippina: 4) oder des Nero (54–68)
entstanden ist, umgedeutet. Er hat seinem Augustusbild eine
milde Verklärtheit gegeben, die Marmorfläche reich und sinnlich
behandelt. Augustus ist hier mit der corona civica, der «Bürgerkrone» aus Eichenlaub bekränzt, die ihm vom Senat als dem Ret-
ter der römischen Bürgerschaft im Jahre 27 v. Chr. verliehen worden war: «... nachdem ich die Bürgerkriege ausgelöscht hatte,
habe ich, nach dem einmütigen Wunsche der Gesamtheit in den
Besitz der Allgewalt gelangt, den Staat aus meiner Amtsgewalt
dem Ermessen des Senats und des römischen Volkes überant-
wortet. Für dieses mein Verdienst wurde ich auf Beschluß des
Senats Augustus genannt (dieser Titel bedeutet: Der Ehrwür-
dige, Majestätische). Mit Lorbeerkränzen wurde die Tür meines
Hauses von Staats wegen geschmückt, die Bürgerkrone über meiner Tür angebracht und ein goldener Schild in der Curia Julia
(d. h. in dem von Julius Cäsar gestifteten Sitzungsgebäude des
Senats) aufgestellt, den mir der Senat und das römische Volk
verliehen hat wegen meiner Tapferkeit und Milde, meiner Gerech-
tigkeit und Frömmigkeit, wie durch die Aufschrift dieses Schildes
bezeugt ist. Seit dieser Zeit übertraf ich an Machteinfluß Alle ...».
An diese Worte aus dem Tatenbericht des ersten römischen Kaisers sehen wir uns durch sein erhabenes Bildnis erinnert.
In der Gewandstatue (2), deren Kopf verloren ist, war Augustus'
Frau, Livia, dargestellt. Die Inschrift auf der Standplatte besagt
es: AUGUSTAE. IULIAE. DRUSI. F – (geweiht) «der Augusta
Julia, der Tochter des Drusus». Das Standbild ist nach dem
Tode des Augustus (14 n. Chr.) aufgestellt worden; denn er hatte
seine Frau testamentarisch zum offiziellen Mitglied seines Hauses (der Julier) erhoben. In die Zeit des Nero datiert die Büste
einer jungen Frau (9) mit einem kühlen, verfließenden Ausdruck.

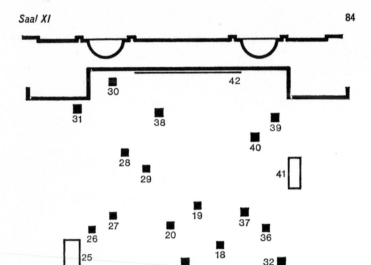

26. Saal XI, zweites (mittleres) Joch

Diesem mehr höfisch gestimmten Menschenbild folgt in der zweiten Hälfte des 1. Jahrhunderts n. Chr. in Bildnissen aus der Regierungszeit der Kaiser des flavischen Herrscherhauses (69–98:
Vespasian, Titus, Domitian, Nerva) eine mehr realistische Lebendigkeit: Bezeichnend ist die virtuos gearbeitete Büste einer Dame
mit hoher «flavischer» Lockenfrisur (10); flavisch sind auch der
kahlköpfige Priester (11) und die Büste eines Mannes (12).

B. Die Bildnisse im zweiten Joch des Saals (vgl. Abb. 26)

In der Mitte des Saals XI stehen Römerporträts des 2. Jahrhunderts n. Chr., aus der Regierungszeit des Trajan (98–117) und
Hadrian (117–138) und der Kaiser aus dem Hause der Antoninen
(Antoninus Pius, Marc Aurel, Marc Aurels Mitregent Lucius Verus
und Commodus: 138–192). Vier Herrscher des Jahrhunderts sind
in der Ausstellung vertreten: Trajan (17), Antoninus Pius (32),

Lucius Verus (39 und 40) und Commodus (43: im dritten Joch
des Saals).

Porträts trajanischer Zeit (ca. 90 bis 120 n. Chr.: 17–21 und 24–27). –
Von dem Bildnis des Kaisers Trajan (17) sind Wiederholungen
desselben «Typus», wie es sonst für die Fassungen der Kaiser-
bildnisse die Regel ist, nicht überliefert. Trajan trägt in dieser
einzigartig dastehenden Büste die «Bürgerkrone» die in der Nachfolge des Augustus (Büste 1 im ersten Joch) alle römischen
Monarchen vom Senat beanspruchten. Im Eichenkranz ist über
der Stirn ein Medaillon eingesetzt. Auf der linken Schulter liegt die
Ägis mit dem Medusenhaupt und den Schlangen als Symbol des
göttlichen Herrschaftsanspruchs des Kaisers. Es wird ausdrück-
lich berichtet, daß Trajans Haar weiß gewesen sei. Ergänzen wir
uns deshalb in der Vorstellung die Bemalung des jetzt dunkel
verwitterten Marmors: Im Weiß des Haares das grüne Laub des
Eichenkranzes; das Medaillon vielleicht ein goldgefaßter, ge-
schnittener Edelstein; dazu die verschiedene Färbung der Kranz-
binde, des Schwertriemens, der Ägis, die roten Lippen, die Bemalung von Iris und Pupille. Wie alle im zweiten und dritten
Joch des Saals ausgestellte Büsten (einzige Ausnahme Porträt
des Antoninus Pius: 32) ist auch die Trajansbüste unvollständig:
Ihr fehlt der Büstenfuß mit dem Inschrifttäfelchen (vgl. Seite 80).
Das eindrucksvolle Bild des Kaisers kennzeichnet schlichte
Würde. Die Wesensart des großen römischen Herrschers mit
dem Beinamen «Optimus Princeps» (= Bester Kaiser), der die
Festigkeit des Reiches durch straffe Verwaltung und umfang-
reiche kriegerische Unternehmungen erneuerte, war für seine
Zeit vorbildlich. Die herbe Grundhaltung seines Wesens, die sich
in der nüchternen Gestaltung seines Bildnisses ausdrückt, eignet
in verschiedenen Brechungen auch den bürgerlichen Bildnissen.
Das zeigen uns recht deutlich das Köpfchen des kleinen anmutig-
spröden Knaben (20) oder zwei Büsten reifer Männer, der eine
mit hartlinigen, bitteren Zügen (21), der zweite (19) im Ausdruck
scharf und trocken. Das Frauenbildnis (24) paßt sich dieser neuen
Schlichtheit bis in die Haarfrisur hinein an, die knapp und geschlossen ist. Es stammt aus einer Grabstätte an der Via Appia
vor den Toren Roms und war vermutlich zur Aufnahme der To-
tenasche ganz ausgehöhlt. In dem Porträt einer leer blickenden
Dame mit hohem Diadem (26) ist vielleicht die Kaiserin Plotina,
die Frau des Trajan zu erkennen. Unmittelbar vor oder nach

af. 37 (margin)

af. 38 (margin)

Trajans Regierungsantritt ist ein drittes Frauenbildnis von einer gewissen müden Eleganz gearbeitet (27) und wahrscheinlich erst nach seinem Tode das Standbild einer vornehmen Frau (25), die in der Gestalt der Göttin Ceres mit Ähren und Mohn auftritt; sie wird dem kaiserlichen Hause angehört haben. Schließlich ist noch der trajanische Kopf eines Dichters mit einem Kranz aus Efeuzweigen zu nennen (18), dessen musischer Anspruch – und das ist bezeichnend – sich in einer müden Sentimentalität ausspricht.

Porträts hadrianischer Zeit (ca. 120 bis 140 n. Chr.: 22–23, 29–30, 33). – Ein posthumes Porträt von einer Kolossalstatue des Kaisers Hadrian (117–138) ist im Museumshof aufgestellt (vgl. Seite 109). Das schöne Kopfbruchstück eines Römers mit gepflegtem kurzen Bart und dichten vollen Locken (22) entspricht sehr genau dem ersten nach dem Regierungsantritt (117 n. Chr.) geschaffenen Hadriansporträt. In dieser Weise trug der kosmopolitisch gesinnte, dem Griechentum leidenschaftlich zugeneigte Kaiser sein Haupthaar und den Bart nach Art griechischer Philosophen. Es ist bezeugt, daß er auf ein «zierliches Aussehen bedacht», seine Frisur «immer wohlgepflegt» war. Die Gesichtszüge sind weich und groß, im Ausdruck sinnlich und zugleich kühl – welcher Gegensatz zum Bildnis des Vorgängers! Am Beispiel des neuen Kaisers orientierte sich Gesinnungsart und Erscheinung des römischen Bürgers.

Im letzten Jahrzehnt vor dem Tod des Kaisers (138) sind drei Porträts entstanden: Zu einer Panzerstatue gehörte der herrliche Kopf des T. Caesernius Statianus (29), eines hohen Beamten aus der nächsten Umgebung Hadrians, der auch noch seinem Nachfolger Antoninus Pius diente. Er zeigt nicht mehr die bildhaft stille und füllige Eleganz des frühhadrianischen Römers (22). Der Ausdruck ist gehoben, die Marmoroberfläche des Antlitzes reicher modelliert – eine Bewegung von Licht und Schatten. Während die Augen bisher lediglich farbig gefaßt waren (vgl. Seite 81), wird jetzt durch plastische Mittel eine Intensivierung des Blicks erreicht: Der gravierte Irisring und das gebohrte Glanzlicht der Pupillen bedeuten eine Neuerung, die erstmals in dieser Zeit aufkommt und fortan (mit wenigen Ausnahmen) von den Porträtisten angewendet und immer mehr ausgebaut wurde (Bildnisse des fortgeschrittenen zweiten und des dritten Jahrhunderts). Hinzu kommt eine virtuose Behandlung

Taf.

des Haupthaars. Der Bildhauer – auch das eine entscheidende Neuerung – bedient sich nun zusätzlich zum Meißel des «laufenden» Bohrers, um das Haar entsprechend der sich belebenden Tracht durch schattige Bohrkanäle aufzulockern.

Neben der eindrucksvoll vergegenwärtigten Persönlichkeit des kaiserlichen Staatsmannes steht die große Büste des Kaiserlieblings Antinous (30), den nach frühem Tode Hadrian zum Gott erklärte und von dem zahllose Büsten und Statuen im römischen Reich verbreitet waren. Die leere, weichliche Schönheit des levantinischen Jünglings aus Bithynien ist Inbegriff des romantischen Griechenideals des Kaisers. Späthadrianisch ist das souverän gemeißelte Porträt eines eleganten Bärtigen der römischen
Taf. 39 Gesellschaft (33); auf der tief herabreichenden nackten Büste ein vornehm drapierter Mantel mit großem Fibelknopf – eine repräsentative Aufmachung, im Vergleich zu der die Büste des
Taf. 38 trajanischen Bürgers (19) bescheiden wirkt.

Porträts antoninischer Zeit (ca. 140 bis 190 n. Chr.: 28, 31–32, 34–40). – Antoninus Pius, dessen fast unversehrte Büste mit Panzer und Mantel ein Glanzstück der Sammlung darstellt (32; nur ein Teil des Hinterkopfes ist modern ergänzt), übernahm nach Hadrians Tod die Reichsführung (138–161). Antoninus' Nachfolger, Marc Aurel, hat in seinen berühmten, im Feldlager an der Donau verfaßten stoischen «Selbstbetrachtungen» (er starb 180 in Wien) die Persönlichkeit seines Adoptivvaters gezeichnet: Antoninus war mild und liebenswürdig, leutselig, heiter und selbstgenügsam, Schmeichelei wie Geschmacklosigkeiten abhold, beharrlich im sorgsam geprüften Standpunkt, arbeitsam und ausdauernd ohne Hast. Wäre die Erscheinung des von der Bevölkerung des Reichs hochgeschätzten Kaisers nicht ohnehin bekannt, Marc Aurels ausführliche Würdigung allein würde uns schon die Benennung des großen, gegen 150 n. Chr. entstandenen Porträts wohl ermöglicht haben. – In zwei Büsten (39 und 40) ist Lucius Verus vertreten, der Mitregent Marc Aurels (eine Büste von Aurels Frau, der Kaiserin Faustina, aus dem Osten des Reichs: 28); die eine zeigt Verus als gepanzerten Regenten (161–169), die zweite, vermutlich bald nach der Jahrhundertmitte entstandene nackte Büste den jugendlichen Verus im Alter von etwa zweiundzwanzig Jahren. Dieses in der Qualität und Erhaltung des Marmors vortreffliche Werk und ebenso die wohlerhaltene Gewandbüste eines unbekannten Bärtigen (38)

sind Spitzenleistungen der raffinierten antoninischen Marmor-
technik. Die äußersten Möglichkeiten in der Handhabung des
«laufenden» Bohrers sind zur Darstellung der modischen antoninischen Schaumlockenfrisur ausgeschöpft. Es ist die Steige-
rung der schon unter Hadrian sich ankündigenden Haarbehand-
lung (vgl. Seite 86 f. zum Bildnis des T. Caesernius: 29). Mit dem   *Taf. 3*
Meißel wurde das Haar nur mehr angelegt (unfertige Partien auf
der Rückseite: 38). Das letzte Wort haben nicht mehr die dem
Stein Gestalt gebenden Werkzeuge des Bildhauers, sondern
rotierende Geräte, die den Marmor gleichsam malerisch be-
handeln, das Helldunkel der Haarpracht hervorzuzaubern und im
Kontrast hierzu die Marmoroberfläche der Epidermis auf Hoch-
glanz polieren, wie unverwitterte Bildnisse erkennen lassen. Die
plastische Substanz hat in solchen Bildnissen den stärksten
Grad der Auflösung erreicht.

Am Beginn des hier betrachteten Zeitabschnitts stehen zwei Bildnisse: Der von empfindsamer Künstlerhand gearbeitete schöne
Kopf einer Priesterin mit kunstreich geflochtenem Haar und mit
Ährenkranz (34) und die Büste eines im Ausdruck verschatteten
Apollodoros, den uns das Inschrifttäfelchen benennt (31); vielleicht ist in dieser ein posthumes Bildnis des aus Damaskus
stammenden Baumeisters Apollodoros zu sehen, der den Kai-
sern Hadrian und Trajan gedient hat (Hadrian ließ den kritischen
Architekten hinrichten). – Zwei ansehnliche spätantoninische Porträts gehören in die Zeit des Kaisers Commodus (180–192; die
beiden Bildnisse des letzten Antoninen im dritten Joch des
Saals): Es sind diese der Kopf eines soignierten Herrn mit spär-
licherem Haupthaar und schmalem Bart von bewundernswerter
zart-verschliffener, «malerischer» Behandlung in der Marmoroberfläche (37) und ein letzter jugendlicher, vollgelockter Kopf
(36); der Blick ist in diesem Porträt durch das Mittel vertiefter
Bohrung der Pupillen (doppelte Bohrung mit «Glanzlichtsporn»)
unverhohlener und drängender als bei den bisher betrachteten
Römerbildnissen.

C. Die Bildnisse im dritten Joch des Saals (vgl. Abb. 27)
Im letzten Drittel des Saals sind in der Mehrzahl Werke der römischen Porträtkunst aus dem 3. Jahrhundert n. Chr. ausgestellt.
Zwei Köpfe (62 und 63) gehören in das 4. Jahrhundert, ein letzter
später Kopf (64) ist um 400 n. Chr. gearbeitet. – Drei Bildnisse

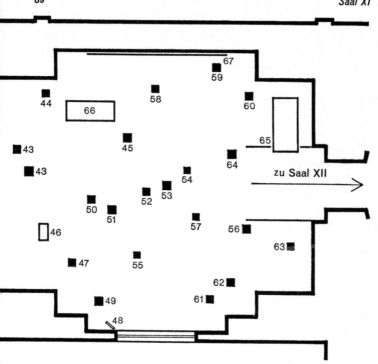

27. Saal XI, drittes Joch

reihen sich noch den im zweiten Joch des Saales betrachteten antoninischen Porträts an: die einem griechischen Vorbild entlehnte, sorgfältig gearbeitete Gewandstatue einer nicht benennbaren Römerin (46), die (wie auch der Kopf eines unbekannten Bärtigen: 35 im zweiten Joch) der Zeit des Marc Aurel (161–180) angehört, und zwei Bildnisse des letzten Kaisers der Dynastie der Antoninen, Commodus (180–192), des entarteten Sohns und Nachfolgers Marc Aurels (43). – Die repräsentativ auftretende Dame der römischen Gesellschaft (46) mit gewelltem Haar, tiefem Haarknoten, einem feinen, durchschimmernden Körpergewand und einem über den Scheitel gezogenen Mantel, ist anscheinend als hohe Priesterin vorgestellt und war so vielleicht kaiserlichen Geblüts. – Der ausschweifend lebende, gewalttätige,

Verwaltung und Grenzschutz des Reichs veruntreuende und
schließlich ermordete Commodus, in dessen Person die würdige
Reihe der aufgeklärten Kaiser des 2. Jahrhunderts abbricht, begegnet uns in einem Kopfe und in einer Büste mit Panzer und
Mantel (43). Commodus steht an der Wende zu dem neuen Jahrhundert des Blutvergießens und Elends, der Epoche kurzlebiger
Dynastien, sich rasch ablösender, vom Heer ausgerufener und
von ihm abhängiger «Soldatenkaiser».

*Porträts vom Ausgang des 2. bis um die Mitte des 3. Jahrhunderts
n. Chr. (44–45, 47–56).* – «Seid eines Sinnes, macht die Soldaten
reich, besorgt euch um sonst nichts!», das waren die letzten
Worte, die der erste Soldatenkaiser, Septimius Severus (193–211),
an seine als gemeinsame Regenten designierten Söhne Caracalla
und Geta richtete; der jüngere fiel gleich nach des Vaters Tod
der Mörderhand des Caracalla zum Opfer (Caracalla Kaiser 211
bis 217).

Der aus Afrika stammende Septimius Severus, seine aus einem
Geschlecht syrischer Priesterkönige gebürtige Frau Julia Domna
und der eine Sproß des kaiserlichen Paars, Caracalla – er noch
als Knabe von acht Jahren – sind in der Glyptothek durch ganz
ausgezeichnete Porträts vertreten (49–51): ein unheimliches, ge-
fährlich anmutendes Familienbild!

Der Kopf des Septimius Severus (49), das beste von ihm bezeugte   *Taf. 4*
Bildnis, ist in eine antike, jedoch nicht zugehörige Panzer-Mantel-
büste eingesetzt. Severus, der, um die gewaltsam erworbene Stel-
lung zu legitimieren, als Erbe der Antoninen und «Sohn» des
großen weisen Marc Aurel bezeichnet zu werden wünschte, gab
sich auch als solcher zu erkennen: Er trug den Lockenkopf und
Philosophenbart des antoninischen Monarchen. Nichtsdesto-
weniger bekunden der triebhaft-sentimentale und lauernde Ausdruck und die sich deutlich verhärtende Formensprache des Bildnisses den bereits vollzogenen Niedergang der höfisch-geistigen
Kultur und den Verlust der Kaiserwürde des verstrichenen Jahrhunderts (zu vergleichen ist die Büste des Antoninus Pius, zweites Joch: 32). Die pathetisch schräg himmelwärts gerichteten
Augen sind nicht die des stoischen Philosophenkaisers, sondern
des Usurpators abergläubischen Gottesgnadentums, der Ausdruck eines (wie bezeugt ist) in Magie und Astrologie verstrickten
Machtmenschen. – Das wundervolle Porträt der Orientalin Julia   *Taf. 4*
Domna (51) mit einer schweren Frisur, die das unergründliche

Antlitz, in dem vor allem Augen und Mund sprechen, tief herab rahmt und sich am Hinterkopf zu einem kunstvollen Geflecht ordnet, ist das weibliche Gegenbild des Severusporträts, das unselige Gesicht des Knaben Caracalla dessen kindhaftes Spiegelbild (50). Unverkennbar ist hier nicht nur die ererbte Ähnlichkeit, vielmehr auch der dem Kind in so frühen Jahren schon aufgeprägte offizielle «Stil» des fremdartigen Kaiserhauses. Und das Caracallaporträt ist nicht zuletzt auch das unverwechselbare Kindheitsbild des in den letzten Jahren geistesgestörten «zweiten Nero» Roms, der sich darin gefiel, allein durch sein Erscheinen Furcht und Schrecken auszulösen.

In die Zeit des Septimius Severus gehören der Kopf (44) und die Gewandbüste (47; mit Tunica und Mantel) zweier älterer Männer – eigentümlich befremdende Charaktere, verschlagen und listig. Man möchte in ihnen Magier und Sterndeuter aus der nächsten Umgebung des Kaisers vermuten (der in der Büste Dargestellte war offensichtlich eine Person von Rang: Eine zweite gleichartige Büste desselben Mannes befindet sich im Museumsdepot). – Ungetrübtere Bildung spricht aus den Zügen eines blasiert wirkenden Römers, den uns eine subtil gemeißelte Büste wiedergibt (45). Aus der kolossalen wie großartigen Büste eines unbekannten, aber zweifellos hervorragenden Mannes (56) spricht eine ans Seelisch-Nackte grenzende Energie, die sich mit gewaltiger Körperkraft paart: Der ungewöhnlich große Büstenausschnitt und die metallisch schimmernde Behandlung des kurzlockigen und enganliegenden Haupt- und Barthaars tragen wesentlich zu dieser Wirkung bei. Diese beiden Bildnisse sind unter dem dritten und dem letzten «Severer» geschaffen worden (den Syrern Elagabal, 218–222, und Severus Alexander, 222–235).

Ein Meisterwerk der fortgeschrittenen ersten Jahrhunderthälfte *Taf. 44* ist der Männerkopf zu einer verlorenen Statue (55), der in seinem schlichten Aufbau, den ganz einfachen großen Formen, der sparsam graphischen Wiedergabe des Details, dem resignierten Blick einen starken Ausdruckswert besitzt. Der Mensch ohne geistige Heimat ist hier geformt. – Das wunderbar erhaltene Frauenbild- *Taf. 41* nis (53) überrascht durch das grandios Brutale und Unverhüllte der Erscheinung. Die monumentale Wirkung des Porträts beruht vor allem auf dem Aufbau der Büste, dem geschlossenen Mantel, aus dem sich der Kopf mit anspruchsvoller Haltung erhebt, während der Kopf – für sich betrachtet – eine Glätte, Sprödigkeit, ja

Brüchigkeit der Form bekundet: Jede Feinheit der Formbehandlung, das Abgestufte und Schwebende, das in einem Frauenbildnis gesucht wird, scheint abhanden gekommen zu sein. Vielleicht ist in diesem Porträt mit seiner wie geschmiedeten, am Hinterkopf in einer geflochtenen Bahn aufgenommenen Wellenfrisur die Frau des Kaisers Trajanus Decius (249–251), Otacilia Severa, zu sehen – somit auch die Mutter des Knaben Philippus. Diesen Prinzen, der wahrscheinlich zusammen mit seinem Vater im zwölften Lebensjahr ermordet wurde, zeigt uns das nebenstehende Porträt von ungemein graphisch-expressiver Schärfe des Ausdrucks in einem fast unbewegten Gesicht (52). Lehrreich ist ein Vergleich dieses Bildnispaars von Frau und Kind mit jenem aus dem frühseverischen Kaiserpalast (Julia Domna und   *Taf. 4* Caracalla: 51 und 50).

Porträts aus der zweiten Hälfte des 3. Jahrhunderts n. Chr. (57–61). Neben den zuletzt betrachteten Bildnissen der «Otacilia Severa» und des Philippus (53, 52) begegnen vor der Jahrhundertmitte und besonders nach 250 v. Chr. Bildnisse von neuen seelischen Spannungen: In dem Männerkopf mit derb gemeißeltem Haupt- und Barthaar und scharf gravierten Gesichtsfalten (54) – einem Porträt des Kaisers Decius (249–251)? – zeigt sich eine schmerzliche Erregtheit, die gerade in der Verbindung mit der kargen und spröden Fassung des Antlitzes eine besondere Wirkung hat. In einer späteren zweiten, trotz ihrer Beschädigung noch grandiosen Männerbüste (59), ist es ein gesteigertes, nervöses Spiel verkrampft hervortretender Muskeln, das diesem Kopf ein ungezügeltes Pathos verleiht.

Wir stehen hier vor dem Menschenbild der äußerlich und innerlich schlimmsten Zeit des römischen Reiches, über die der Bischof Cyprian, der 258 n. Chr. einer Christenverfolgung unter Kaiser Valerian zum Opfer fiel, so geurteilt hat: «Was immer jetzt geboren wird, entartet am Greisentum dieser Welt». Die Behandlung des Barthaars eines Soldatenführers, dessen Kopf ursprünglich auf einer Panzerstatue oder Panzerbüste saß (61), ist noch rücksichtsloser als im Falle des «Decius» (54), die pathetische Mimik noch entschiedener entsinnlicht und zur schroffen Formel erstarrt. In den Jahren vor der Entstehungszeit dieses Kopfes sollte es noch einmal zu einem Aufschub der fortschreitenden Anarchie in der Bildniskunst des 3. Jahrhunderts kommen, unter dem Einfluß des Kaisers Gallien (253–268), der als Griechen-

freund und Vertrauter des Philosophen Plotin im Sinne des Antoninus Pius eine neue Humanität heraufzuführen versuchte.
Das ästhetisierende Schönheitsideal, dem er huldigte, spiegelt sich in der kühlen Vornehmheit des kleinen Frauenkopfes
(60) mit einer «Helmfrisur», die die Haartracht der «Otacilia
Severa» weiterführt, und in dem Porträt eines bärtigen Mannes
mit glatter Gesichtsfläche und vollem lockigen Haar (57).

Drei Bildnisse des 4. Jahrhunderts n. Chr. (62–64). – Einen Blick in
die spätrömische Porträtkunst des 4. Jahrhunderts gewähren uns
ein sehr großer Männerkopf (63), ein Frauenkopf (62) und ein
zweiter, besonders gut erhaltener Jünglingskopf (64). In Rom
werden Bildnisse, vor allem bürgerliche, jetzt seltener. Auch tritt
die Büste in den Hintergrund, kolossale Kaiserstatuen sind be-
stimmend für die neue Zeit.

af. 42

So sehr sich auch der erstgenannte Kopf (63) von den beiden
anderen abhebt, wir sehen uns nach der voraufgehenden Betrachtung der Bildniskunst des 3. Jahrhunderts hier wie dort
einer neu gefestigten monumentalen Auffassung des Porträts
gegenübergestellt. In dem am Anfang des 4. Jahrhunderts geschaffenen Bildnis (63) – seine Größe und repräsentative Wirkung bezeugen es – verbirgt sich eine Persönlichkeit kaiserlichen
Ranges. Ist es Konstantin der Große (324–337) oder ein Mitglied
seines Hauses? Vielleicht zählte das majestätische Porträt, das
– nicht nur in der Frisur – an Bildnisse der zweiten Hälfte des
1. Jahrhunderts erinnert und sich aus ihnen erklärt, zusammen
mit anderen gleichrangigen Bildnissen zu einer «Ahnengalerie»
römischer Kaiser.

Taf. 42

Die beiden «leidlos-ernsten» Bildnisse, das schöne Frauenbildnis (62) und das glanzvolle Jünglingsbildnis (64) gehören einer
neuen Weltzeit an. Sie sind dessen enthoben, was der Grieche
Physis nannte, des irdisch-körperhaften Lebens, mit dem sich
die römischen Bildner in Jahrhunderten immer wieder von neuem
in ständigem Ringen auseinandergesetzt hatten. Sie «sind in
eine übersinnliche Sphäre eingegangen, sind kristallinisch ge-
ordnet, lichtverklärt... ihrer letzten Erdenschwere, der schmerz-
lichen Erinnerung an einen früheren Lebensprozeß» entrückt. –
Es ist nicht mehr die Plastik, sondern das Mosaik mit den ge-
heimnisvoll leuchtenden Farbwerten, das die geistigen und die
menschlichen Gehalte der kommenden Zeit, die des byzantini-
schen Mittelalters, vermitteln wird.

RÖMISCHE RELIEFWERKE

Im Saal XI führen fünf Reliefwerke in die Zeit der römischen
Republik (1. Jahrhundert v. Chr.), in die Zeit des Kaisers Trajan
(98–117) und in das 3. Jahrhundert n. Chr.: Friese eines rechteckigen Monuments aus Rom (16), zwei Blöcke mit hohem Relief
von einem Grabbau (41), ein Fries aus einem großen Staats-
gebäude in Rom (67) sowie zwei Reliefsarkophage (65 und 66).

Das große Reliefmonument aus Rom, 16 (im ersten Joch des
Saals). – Das umfangreichste Reliefwerk republikanischer Zeit,
das uns erhalten ist, besteht aus zwei langen und zwei kurzen
Friesen, die sich zu einem gestreckten Rechteck zusammen-
schließen. Die Friese der einen Langseite und der beiden Schmalseiten, die Ludwig I. für München erwarb, geben eine Darstellung
aus dem griechischen Mythos. Ihr steht auf dem Fries der zweiten Langseite, dessen Original sich im Louvre in Paris befindet,
ein Akt aus dem römischen Staatsleben gegenüber. Mit einem
Abguß der Pariser Reliefplatten sind die Friese zum ersten Mal
in ihrer einstigen Anordnung wiederhergestellt worden. An den
vier Ecken stehen Pilaster, die ein die Friese oben abschließendes
Gebälk trugen (das Friesgebälk wurde nach der Auffindung be-
seitigt, die Rückseiten der ursprünglich stärkeren Münchner Fries-
platten in ganzer Länge abgesägt).

Relief der ersten Langseite und der Schmalseiten mit der Hochzeit des Poseidon (Neptun) und der Amphitrite: Der Herr der
Meere und seine verschleierte Braut erscheinen in der Mitte der   *Taf. 33*
Langseite auf einem Wagen, den zwei Tritone mit ihren See-
schlangenleibern ziehen; der eine Triton spielt auf der Leier, der
zweite blies in eine jetzt verlorene Doppelflöte. Gegenstand der
Darstellung ist der nächtliche Hochzeitszug des Götterpaars, das
mit seinem nautischen Gefolge über die Wasser gleitet und sich
in halber Wendung dem Betrachter nähert: Die Spitze bilden das
Gefährt und die zur Linken des Gespanns auf einem Seepferd
würdig thronende Brautmutter Doris, die mit zwei Fackeln leuchtet (der ganze Fries wölbt sich in einer sanften Kurve zur Mitte
hin). Von beiden Seiten folgen zwei lässig auf einem Seestier und
einem Seepferd gelagerte Nereiden als Brautjungfern, und wiederholt erscheint der kleine Eros (Amor): Er reitet, spielt und
zerrt am Zaumzeug der Seewesen. Den Zug beschließen auf den

Schmalseiten jeweils zwei Nereiden mit Seedrachen und Trito-
nen als Reittieren (die unvollständige rechte Schmalseite mit
neuzeitlichen Marmorergänzungen, die den Stil des römischen
Reliefs verfehlen).

Das Friesbild ist Gleichnis des weiten schönen Meeres – Wind-
stille, leichte Brise und das Rauschen der Dünung. Einem ruhen-
den Segel gleicht das große Tuch, mit dem Poseidons Wagen
bespannt ist. Die musizierenden Tritone lassen das Singen der
Winde vernehmen. Vom großen Atem des Meeres zeugen die
herrlich schäumenden Leiber der ungeheuerlichen und doch so
friedfertigen Seewesen.

Relief der zweiten Langseite: Die Darstellung eines von Censoren
dem Mars dargebrachten Opfers nimmt fast die ganze Länge des
Frieses ein. Daneben zeigt eine nur vierfigurige Szene am linken
Friesende die eigentlichen Staatsgeschäfte der Censoren, der
zwei hohen Beamten Roms, denen der «census» oblag, die Schat-
zung der Wahlberechtigten und der zum Kriegsdienst und zur
Steuerabgabe Verpflichteten. Wir sehen zwei sitzende Amts-
personen mit zwei Bürgern; die eine, ein Schreiber, ist beschäf-
tigt, Eintragungen in einem Buch der Listen zu prüfen oder zu
ergänzen. – Das dem Akt des Census folgende feierliche Staatsopfer der Censoren auf dem campus Martius (dem Marsfeld) in
Rom vollzieht sich in Gegenwart des jugendlichen Kriegsgottes,
der in voller Rüstung an seinem Altar steht. Neben Musikanten
und Ministranten, Soldaten und den Geleitern der Opfertiere
– Stier, Widder und Eber – sind die beiden Censoren selbst zu
erkennen, der eine in der Gestalt, die neben dem Altar die Opfer-
prozession erwartet, und der andere in dem Fahnenträger.

Die Friesblöcke umkleideten den massiven Kern eines als Ganzes
nicht erklärten Monuments, das möglicherweise Gellius (einer
der Censoren des Jahres 70 v. Chr.) als Denkmal für die erfolg-
reiche Unterdrückung des Piratentums im Tyrrhenischen Meer
in das Heiligtum des Neptun gestiftet hat.

Gladiatorenrelief, 41 (im mittleren Joch des Saals). – Die zwei
mächtigen Blöcke, die wahrscheinlich zu einem monumentalen
Grabbau republikanischer Zeit gehören, zeigen einen Ausschnitt
aus einer größeren zusammenhängenden Reliefdarstellung mit
Gladiatorenkämpfen. Zwei Trompeter verkünden mit langen Blas-
instrumenten («Tuben» mit Zugleinen, die sie mit einem Finger
bedienen) den Sieg im Zweikampf. Der vordere Bläser gibt mit

drei vorgestreckten Fingern ein Zeichen, das vielleicht den am
Boden zusammengebrochenen Gladiator auffordert, sein Recht
wahrzunehmen, die Zuschauer, die über Tod oder Leben befinden, um Gnade zu bitten. Dargestellt ist der Augenblick nach
dem eben erst beendeten Kampf: die Not des Besiegten, die
rohe Bereitschaft des Siegers, der das Schwert erhoben hält,
seinen Gegner zu töten, wenn ihm die «missio» (Entlassung)
versagt wird. «Der grausige Vorgang entbehrt der Größe nicht,
die sich in der schlichten, inbrünstigen Wahrhaftigkeit ausspricht, mit der der Bildhauer diese Sache schildert. Keine
schöne Form, keine kunstreiche Komposition, keine Phrase. Ein
menschliches Wesen im Angesicht des Todes beherrscht durch
Schulung und Sitte.»

Fries von der Basilica Ulpia in Rom, 67 (im dritten Joch des Saals).
– Ein Fries mit Siegesgöttinnen (Victorien), die reich profilierte und ornamentierte Weihrauchständer mit Lorbeergewinden
schmücken und die Flammen nähren. Es handelt sich um einen
Ausschnitt aus einem langen, dekorativen Fries mit fortlaufender
Wiederholung der symmetrisch angeordneten Figurengruppen,
der ein schweres Gebälk bekrönte. Die Reliefplatten wurden nach
ihrer Auffindung aus ihrem architektonischen Zusammenhang
herausgesägt. Das von Ornamentbändern gegliederte Gebälk mit
dem Victorienfries gehörte zur Ausstattung der Basilica Ulpia,
einer von Kaiser Trajan auf seinem Forum errichteten und 112
n. Chr. eingeweihten, prunkvollen Staatsmarkthalle. Das zum Teil
freigelegte Forum mit der Ruine der kolossalen Basilica und der
berühmten, vom Kaiser hier aufgestellten und heute noch aufrecht stehenden Trajanssäule ist eine der großen Sehenswür-
digkeiten Roms.

Zwei große Reliefsarkophage aus stadtrömischen Werkstätten
des 3. Jahrhunderts n. Chr. (65 und 66, im dritten Joch des Saals;
weitere römische Sarkophage im Saal XIII, vgl. Seite 103f.):

Sarkophag eines Ehepaars (65). – Der prächtige Sarkophag aus
dem 3. Jahrhundert n. Chr. war entsprechend der in Rom nicht
ungewöhnlichen Sitte vermutlich für die Bestattung beider Ehe-
leute bestimmt, die in der Mitte der von geschwungenen Riefeln
überzogenen Frontseite dargestellt sind. Der Mann und die Frau
erscheinen feierlich verhüllt, durch die Hände verbunden, in einer
reich ausgestatteten, mit einer großen Muschel ausgelegten
«Aedicula» (Pfeilerarchitektur mit Giebel, Hörner blasende

28. Römischer Sarkophag (Saal XI: 66)

Seekentauren auf dem Dach). Der Mann trägt eine Schriftrolle und zu Füßen des Paars steht der kleine Hochzeitsgenius (Hymenaios) mit einer brennenden Fackel. An den Ecken des Sarkophags sind die Verstorbenen, idealisiert in statuarischer Würde auf Postamenten stehend, erneut verbildlicht: rechts der Mann in Gestalt eines Philosophen mit Schriftrolle und links die Frau als Muse, wohl als Urania mit einer (verlorenen) Himmelskugel. – Auf den Schmalseiten des Sarkophags gekreuzte Schilde, Streitäxte und Lanzen in flachem rauh belassenen Relief (die rohen Löcher stammen von der einstigen Verklammerung eines schweren Sarkophagdeckels). – Die von häufigem Berühren polierten Hände des Paars in der Aedicula zeugen von der nachantiken Verwendung des Sarkophags in einer christlichen Kirche und christlicher Umdeutung des Reliefbildes.

Bruchstücke eines Friessarkophags (66). – Der Sarkophag eines Römers von hohem Stand, vielleicht eines Kaisers oder Mitglieds des Kaiserhauses, vermittelt – selbst in seiner Bruchstückhaftigkeit – entschiedener als der Sarkophag des Ehepaars (65) die meisterhafte Reliefkunst spätrömischer Bildhauerwerkstätten im mittleren 3. Jahrhundert n. Chr. Erhalten sind die beiden Eckstücke der Frontseite mit einem sorgfältig ausgearbeiteten und geglätteten Hochrelief und etwa die Hälfte der anschließenden Schmalseiten des Sarkophags, schließlich auch ein kleineres Bruchstück aus der Mitte der Frontseite. – Von der ursprünglichen zweiszenigen Darstellung des vorderseitigen Frieses gibt die Abbildung 28 eine Vorstellung (ergänzende Skizze nach einem Sarkophag in Rom). Links erschien der Verstorbene als Kriegsherr und ihm zur Seite als Personifikation seiner Mannestugend die bewaffnete Göttin Virtus (mit Helm und Schwert). In der Mitte und rechten Hälfte des Frieses war der Verstorbene im Gleichnis des Löwenbezwingers erneut verbildlicht: Von Ge-

fährten und Jagdgehilfen unterstützt, hetzt und erlegt er zu Pferde
einen großen, sich gegen ihn wendenden Mähnenlöwen. Zu dem
Jagdherrn gehört das mittlere Bruchstück. Der Gefährte rechts
außen, der mit dem prachtvollen, leidenschaftlich ernsten Haupt
im rechten Bruchstück erhalten ist, holt zum Schwertschlag ge-   *Taf.* 4
gen den Löwen aus. Zu seinen Füßen verendet eine von einer
Lanze durchbohrte Löwin. An der gegenüberliegenden (linken)
Ecke des Sarkophags öffnet sich ein Tor, durch das ein Reit-
knecht das Pferd seines Herrn führt. – Die linke Schmalseite
(jenseits des Torbogens) mit dem Hinterteil des Pferdes und
einem nachfolgenden Waffenknecht mit dem Helm des Impe-
rators ist nur grob in flachem Relief angedeutet, die rechte
Schmalseite dagegen mit einem vortrefflich angelegten, jedoch
nicht ganz vollendeten Hochrelief versehen: Ein zweiter Reit-
knecht mit dem Wurfholz des Jägers eilt mit einem Pferd herbei.
Römisches Bodenmosaik, 42 (im mittleren Joch des Saals). – Das
große Bodenmosaik aus einer römischen Villa bei Sentinum in
Mittelitalien (dem heutigen Sassoferrato in Umbrien), ein Werk
aus dem Beginn des 3. Jahrhunderts n. Chr., gliedert sich in ein
Bildfeld (ca. 2 zu 2 m), in einen breiten aus strengen ornamentalen und architektonischen Motiven aufgebauten Rahmen (5,25
zu 5,25 m) und in einen bekrönenden Streifen mit pflanzlichem
Muster. – Im Bild steht der jugendliche Sonnengott (Mithras) in
seinem Himmelskreis mit den zwölf Tierzeichen zwischen zwei
Bäumen. Auf der Erde ruht die Erdmutter (Tellus) mit den vier
Jahreszeiten als Kindern: Frühjahr, Sommer und Herbst tragen
Kränze aus Blüten, Ähren und Wein; das Winterkind liegt verhüllt im Schatten der Mutter an der Wurzel des sich entlaubenden
Baums, während der andere Baum über dem Frühjahrskind fri-
sches Laub hat. «Komposition wie Zeichnung und Modellierung
der einzelnen Figuren lassen einen Künstler von Rang erkennen;
die Ornamentik des Rahmenwerks gehört zweifellos zum Besten,
was uns an ornamentalen Arbeiten flächenhaften Charakters aus
jener Epoche erhalten ist. Ihr Reichtum und die Abwechslung der
Motive setzen ebenso in Staunen, wie das sichere künstlerische
Gefühl, mit der sie zu einem Ganzen vereinigt sind. – Das Rah-
menwerk hat nicht nur ornamentalen Charakter, es drückt auch
eine räumliche Funktion aus. Sie entsteht aus der perspektivisch-
plastischen Darstellung reihenmäßig auftretender Konsolen, die
von der Ebene des figürlichen Bildes zu einer scheinbar höher

gelegenen Ebene überleiten. Zusammen mit dem Hintergrunde ergeben die vier Konsolenreihen den Eindruck eines Raumkastens mit Schmalseiten von langgezogenen Rechtecken...» – Dem einstmaligen Bewohner der Villa, der sich auf dem zentralen Bildteppich des Mosaiks befand, bot sich der beschriebene perspektivische Reiz des ihn umgebenden Rahmens. Daneben zeigt die Bildachse zusammen mit dem «oben» aufgesetzten Band, in dem sich aus einem Blattkelch symmetrische Ranken entfalten, den Haupteingang an, von dem aus das Mosaikzimmer der Villa betreten wurde.

XII SAAL DES APOLLON

1 Kolossales Standbild des Apollon («Apollon Barberini»). Freie römische Nachbildung im Stil des 4. Jahrhunderts v. Chr.

2 Statue der Artemis (Diana). Römisches Werk in Anlehnung an griechische Vorbilder. – 1. Jahrhundert n. Chr.

3 Kopf einer Statue des Herakles (Hercules). Freie römische Kopie nach griechischem Vorbild (330/320 v. Chr.). – 1. Jahrhundert n. Chr.

4 Kopf des Herakles. Kopie nach einer griechischen Statue (2. Jahrhundert v. Chr.)

5 Römische Bildnisstatue (Torso). Kopie nach einer griechischen Statue des Hermes (4. Jahrhundert v. Chr.)

6 Kopf des Hermes. Kopie nach dem Vorbild der Porträtstatue 5, einem Standbild des Hermes (4. Jahrhundert v. Chr.)

7 Heroisiertes Standbild des Domitian als Prinz (Kaiser 81–96); Schwertgurt und ehemals angesetzter Metallkranz im Haar. – 70/80 n. Chr.

In dem südöstlichen Ecksaal der Glyptothek, dem Rundsaal XII, ist in der Mitte des Pflasters ein quadratisches römisches Bodenmosaik mit einem perspektivischen geometrischen Muster aus getreppt angeordneten Würfelreihen eingelassen («Stolpermosaik»).

Das kolossale *Standbild des Apollon (1)*, erworben aus dem Palazzo Barberini in Rom, wurde in einer der vielen Villen von Tusculum, dem Sitz reicher römischer Familien entdeckt (bei dem heutigen Frascati in den Albanerbergen von Latium). Die Statue ist vermutlich in Anlehnung an das Kultbild des Gottes in dem von Augustus nach seinem Sieg bei Aktium (31 v. Chr.) auf dem Palatin geweihten Apollontempel entstanden, das in Rom als ein Werk des griechischen Bildhauers und Architekten Skopas (4. Jahrhundert v. Chr.) galt. – Apollon, der mit seinen Pfeilen Unholde und Frevler strafte, die Welt reinigte und klärte, ist in der griechischen Vorstellung auch der musische Gott des Saitenspiels, dessen Klänge Maß und Ordnung bedeuten, der Gott der Sänger und Dichter mit einer mächtigen Leier (einer Kithara), der Chorführer der Musen. Apollon tritt in dem Standbild als «Kitharode» auf, im feierlichen hochgegürteten Gewand

mit einem von den Schultern herabfallenden Mantel, die Füße in
festlichen Sandalen mit hoher Sohle. Der Gott hält im linken
Arm die Kithara, von deren kastenförmigen Klangkörper ein Teil
erhalten ist; in der vorgestreckten rechten Hand lag wahrscheinlich eine Schale. Der rechte Arm und der linke Unterarm (die
verloren sind) waren, wie ebenso der Kopf, gesondert ausgeführt. Das lange Haar fließt Apollon über die Schultern herab,
und die Locken über der Stirn sind hochgebunden: Der Gott
gleicht den Musen, die er geleitete. Die Augäpfel aus weißem
Stein von feinstem Korn, gerahmt von Wimpern aus Bronze, sind
eingesetzt; Iris und Pupille aus edlem farbigen Stein waren anscheinend früher noch vorhanden («luci di pietra preziosa»).

Die brillant gemeißelte *Artemis-Diana (2)*, in der sich betont ge-
zierte Züge, eine steife schwebende Haltung und, zumal in der
Bildung des Haars, starre Einzelformen mit einer freizügigen Bewegtheit im flatternden und sich bauschenden Gewand verbinden, ist ein manieriertes und eklektisches Werk der römischen
Kaiserzeit. In den Tiefen des Gewandes Spuren roter Färbung.
Die Göttin der Jagd hielt mit der rechten Hand ein zu ihr auf-
springendes Hirschkalb an den Vorderläufen, deren Hufe in der
Hand noch erhalten sind; die linke hatte den Bogen erfaßt. Über
der rechten Schulter hing der Köcher, dessen Gurt die Brust
quert; diesen ziert in flachem Relief ein Tierfries (u. a. Hunde
und Wild). Im Haar trägt Artemis eine durchbrochen gearbeitete
Krone mit kleinen Tierfiguren (wohl Hirsche), die ein Mantel-
tuch als Schleier bedeckt.

Von den *zwei Heraklesköpfen (3 und 4)* des noch jugendlichen
Heros, ist der eine (3), eine bravouröse und überfeinerte Arbeit
der römischen Kaiserzeit, mit Blättern der Pappel bekränzt (der
Kranz des Bezwingers des Höllenhundes Kerberos; Pappel =
Unterweltsbaum). Der zweite Kopf (4) trägt einen Eichenkranz.
Dieser große, leidenschaftliche Herakleskopf ist eine von etlichen Kopien nach einem Standbild des 2. Jahrhunderts v. Chr.,
in dem Herakles mit der Keule und, in der linken ausgestreckten
Hand, mit den goldenen Äpfeln dargestellt war, die der Held sich
im fernsten Westen vom Wunderbaum der Hesperiden errungen
hatte. Dem kraftstrotzenden, heftig bewegten Kopf mit dem dichten buckligen Haarwuchs entsprach ein mächtiger Körper und
eine herausfordernd herrscherliche Pose. Eine in vergoldeter
Bronze gearbeitete Kopie der Heraklesstatue stand als kolos-

sales Kultbild in einem römischen, am Tiber gelegenen Rundtempel des Hercules-Victor (jetzt im Kapitolinischen Museum,
Rom).

Ein *Standbild des Hermes* von unbekannter Künstlerhand des
4. Jahrhunderts v. Chr. ist wiederholt für römische Porträtstatuen,
die auch an Grabstätten standen, kopiert worden. In der im
Torso (5) überlieferten Kopie war ein Römer wohl als Jäger verbildlicht, wie das durch die vom Kopisten hinzugefügte Stütze
mit einem erlegten Hasen angedeutet ist. In der originalen Statue
war Hermes – in der vom Mantel umschlungenen Linken hielt er
den Heroldstab des Götterboten – als der ernst blickende, sin-
nende Geleiter der Toten ins Jenseits, als der «Psychopompos»
(Seelenführer) des griechischen Glaubens dargestellt. Der *Kopf
(6)* ist eine Kopie nach dem Kopfe dieser Hermesstatue.

XIII SAAL DES KNABEN MIT DER GANS

A. Skulpturen

1 Der Knabe mit der Gans (250/200 v. Chr.). Römische Kopie (Tafel 46)
2 Trunkene alte Frau (200/180 v. Chr.). Römische Kopie
3 Marsyas, römische Kopie nach einer Gruppe (200/190 v. Chr.)
4 Kopf eines Satyrs (Faun). Römische Kopie nach einer Statue (um 100 v. Chr.). – 2. Jahrhundert n. Chr. (Tafel 47)
5 Bronzekopf eines Satyrs (Faun), von einer Statue. Um 100 v. Chr.

B. Römische Reliefsarkophage und zwei kleine römische Relieftafeln

6 Sarkophag, Sage vom Tod der Niobiden. 160/170 n. Chr.
7 Sarkophag, Sage von Orest und Iphigenie. 130/140 n. Chr.
8 Sarkophag (Reliefplatte der Vorderseite), Sage von Selene und Endymion. Um 180 n. Chr.
9 Sarkophag (Reliefplatte der Vorderseite), Hochzeit des Dionysos (Bacchus) und der Ariadne. 150/160 n. Chr.
10 Sarkophag, Hochzeit des Dionysos (Bacchus) und der Ariadne. 140/150 n. Chr.
11 Kleiner Sarkophag des Mädchens Flaminina (Reliefplatte der Vorderseite), Kindheit des Dionysos. Um 140 n. Chr

Im kleinen Kuppelraum

12 Relief, Bauer und Kuh. 1. Jahrhundert n. Chr.
13 Relief mit Rinderherde. 1. Jahrhundert n. Chr.

Römische Reliefsarkophage

Die kaiserzeitlichen römischen Reliefsarkophage setzen mit dem allgemeinen Wechsel von der Verbrennung zur Bestattung der Toten in der Regierungszeit Hadrians ein (Kaiser 117–138 n. Chr.). Weite Kreise des römischen Bürgertums ließen sich in den monumentalen Marmorsarkophagen bestatten, die meist in Grüften standen, selten in oberirdischen Grabbauten frei sichtbar waren Bis in die christliche Spätantike blühte die stadtrömische Sarkophagkunst. Die mythologischen Darstellungen der Sarkophagfriese, wie sie auf den im Saal XIII ausgestellten Sarkophagen aus Rom oder der näheren Umgebung der Stadt (Hafen von Ostia) erscheinen, erloschen bereits wieder im Verlauf des 3. Jahrhunderts. Ein symbolischer Gehalt der Mythen war wohl nicht immer gegeben, der Rang der Themen als solcher auch allein der Toten würdig. Aber die Geschichte von der Kindheit des Dionysos auf einem Kindersarkophag (11) verhieß dem kleinen römischen Mädchen Seligkeit, wie den Erwachsenen Jenseitshoffnung die Darstellungen vom Hochzeitszug des Dionysos und der Ariadne (9 und 10) oder von der Liebesbegegnung der Mondgöttin mit dem in ewigen Schlaf versetzten Hirten Endymion (9). Vielleicht ist auch die Sage von Orest und Iphigenie Symbol der nicht endenden Geschwisterliebe. Der erhöhte Tote selbst erscheint auf den beiden großen, im Saal XI aufgestellten Sarkophagen des 3. Jahrhunderts (Sarkophag mit Ehepaar XI: 65 und Sarkophag mit dem Verstorbenen als Löwenjäger XI: 66).

Sarkophag (7) mit Orest und Iphigenie. Das Relief des Sarkophags erzählt die Sage von der Rettung des Geschwisterpaars Orest und Iphigenie im Barbarenland der Krim, die Euripides im 5. Jahrhundert in seinem Drama «Iphigenie bei den Taurern» gestaltet und Goethe in der «Iphigenie auf Tauris» neugefaßt hat. Iphigenie, die ihr Vater Agamemnon vor der Ausfahrt gegen Troja im Begriff war zu opfern, um die Gottheit gnädig zu stimmen, wurde von Artemis in ihr nordisches Heiligtum, wo sie die Taurer in barbarischer Form verehrten, entrückt und dort zu ihrer Priesterin. Ihr Bruder Orest, begleitet von seinem Freunde Pylades, kommt zu den Taurern, um das alte Kultbild zu entführen und sich durch die Tat vom Fluch des Muttermords zu befreien; er entdeckt und rettet die Schwester. – In der Mitte des Sarkophags erscheinen Orest und Pylades nach ihrer Ankunft: Orest, von einer Rachedämonin (Erinye) mit Fackel, Schlange und Peitsche bedrängt, wird vom Freunde gestützt. Links das Heiligtum mit Kultbild, Opferbecken, heiligem Baum und Tempel, an dem die Köpfe der Menschenopfer hängen. Ein Barbar führt die in Gefangenschaft geratenen Griechen vor die Priesterin. Rechts die Befreiung: Iphigenie mit dem Bild der Artemis; die Überwindung der Barbaren am Strand; Iphigenie mit Diener auf dem rettenden Schiff, auf das der Bruder oder Freund zueilt. – Die nicht ganz ausgeführten Schmalseiten des Sarkophags zeigen links die Ankunft der

Freunde (vermutlich war auch das Schiff vorgesehen) und rechts
ein Barbar und Iphigenie, die vor der Erkennung ihre geheime
Botschaft Orest und Pylades verliest. – Der Sarkophagdeckel ist
mit Girlanden, Eroten, Adlern, Menschenköpfen und Delphinen
geschmückt.

Sarkophag (6) mit dem Tod der Kinder der Niobe (vgl. den toten
Niobiden Saal V: 5, Seite 41). Apollon und Artemis vernichten
mit ihren Pfeilen die sieben Söhne und sieben Töchter der Niobe
und rächen damit ihre eigene Mutter Leto, die Niobe ihrer zwei
einzigen Kinder wegen geschmäht hatte. – Auf dem Sarkophag-
fries links Artemis und fünf Niobetöchter mit ihrer alten Wärterin,
in der Mitte der alte Pädagoge mit dem jüngsten Sohn und rechts
vier weitere Söhne und Apollon. – Auf den Schmalseiten links
zwei weitere Töchter, rechts zwei Söhne mit scheuendem Pferd
(nach der Sage starben die Söhne bei der Jagd im Kithäron-
gebirge). – Auf dem hohen Friesband des Deckels die toten Kinder. Linkes Giebelfeld mit der trauernden Mutter.

Die Reliefplatte eines *Sarkophags (8)* erzählt die Sage von der
Liebe der Mondgöttin Selene (Luna) zu dem Hirten des Latmos-
gebirges, Endymion. Rechts Selenes Ankunft und der mit un-
vergänglicher Jugend in ewigem Schlaf begnadete Hirte; der geflügelte Genius des Schlafs Hypnos (Somnus) träufelt aus einem
Füllhorn den Mohnsaft des Schlummers. Auf der Felshöhe sitzt
der Berggott Latmos. – Oben in der Mitte reitet Selene auf ihrem
Tierkreiszeichen, dem Krebs. – Links die Abfahrt der Göttin nach
der Liebesbegegnung und die Mutter Erde (Tellus). Das Gespann
der Göttin führt die Morgenröte Eos (Aurora), und der kleine Liebesgott Eros (Amor) ist vielgestaltig anwesend.

Zwei *Sarkophage (9 und 10)* mit der Hochzeit des Dionysos
(Bacchus) und Ariadne; der eine ist vollständig (10), von dem
zweiten die Friesplatte erhalten (9). Die kretische Königstochter
Ariadne wurde, vom attischen Königssohn Theseus auf Naxos
verlassen, zur unsterblichen Braut des Gottes. – Auf der Friesplatte (9) das Brautpaar auf einem reliefverzierten Wagen, den
zwei musizierende Kentauren ziehen, beschattet von einer Wein-
laube, begleitet von einem Satyr und dem kleinen Liebesgott. Vor
dem Gefährt weinselige und tanzende Satyrn und Mänaden und
der alte Silen mit einem verhüllten Korb auf dem Kopf. Die Spitze
des Festzugs bilden zwei Satyrn; der eine schleppt, der andere
züchtigt den bocksbeinigen Pan. – Ein Kentaur und eine Kentaurin

bilden das Gespann des göttlichen Brautpaars von Naxos auf dem Sarkophag 10 (im Hintergrund ein Satyr mit Weinschlauch). Vor dem Wagen mit Dionysos und Ariadne ein zweiter mit Dionysos' trunkener Mutter Semele und einem Panthergespann, hinter dem eine priesterliche Gestalt mit Fackel und Schale vielleicht Demeter ist. An der Spitze des Zuges zwei Satyrn, die den alten Silen schleppen. In den geflügelten Jünglingen auf den zwei Wagen ist der Hochzeitsgenius Hymenaios wiederholt, im Pantherführer wohl Aion, der zur Hochzeit entsandte Wagenlenker des Zeus, zu erkennen. Auf den Schmalseiten des Sarkophags links ein Satyr mit Pan, rechts Pan und Mänade.

Die abgekürzte und nicht ganz vollständig erhaltene Inschrift auf dem oberen Rand der Reliefplatte eines *Kindersarkophags (11)* über dem Eingang in den kleinen Kuppelraum lautet: ... P(osuit). F(iliae) FLAMININAE VIX(it). ANN(o). I. M(ensibus). IIII. D(iebus). VIII. Der Vater hat den Sarkophag «der Tochter Flaminina aufgestellt; sie lebte 1 Jahr, 4 Monate und 8 Tage». – Der Fries erzählt von der Kindheit des Dionysos (Bacchus) unter den Bergnymphen und Satyrn (vgl. Seite 38 zur Statue des Silen Saal V: 2). Nymphen baden das kleine Kind; rechts trägt den Knaben ein Satyr auf den Händen und der alte Silen reicht ihm eine Staude; links reitet Dionysos einen Bock und schultert eine verhüllte Getreideschwinge (hinter dem Reiter Priap im Mantel).

(Ein siebter Sarkophag mit Apollon, Athena und den neun Musen ist im östlichen Innenhof der Antikensammlungen aufgestellt, um 200 n. Chr.).

Zwei Relieftafeln

Im kleinen Kuppelraum zwei römische «Kabinettstücke»: kleine Tafelbilder mit ländlichen Idyllen in Relief. Auf der einen *Relieftafel (12)*, die in der feinen Ausführung die zweite noch übertrifft, treibt ein gebückter Bauer mit einem Tragstock (an dem ein Hase hängt) seine Kuh zur Stadt, der er zwei Schafe aufgebunden hat. Neben dem anmutigen Stadttor, durch dessen Öffnung der knorrige Ast einer Platane wächst, ein Heiligtum des Bacchus mit hoher, zum Teil verfallener Umfassungsmauer und niedrigem Eingangsbau. In der Mitte des Bezirks erhebt sich ein großer eleganter Ständer, der eine Getreideschwinge mit Früchten und einem Phallus trägt. Auf dem Gemäuer Fackeln, Schallbecken und eine Ziervase. Oben steht auf felsiger Höhe eine kleine Ka-

pelle mit dem pfeilerförmigen Kultbild des Priap (Herme). Die
Köpfe von Bauer und Kuh, ein Teil des Hasen u. a. sind ergänzt.
– Auf der zweiten *Relieftafel (13)* eine Rinderherde vor einer Felswand; oben sitzt ein Berggott mit Löwenfell und Pinienast; neben
ihm eine Hündin und ein phallisches Kultbild des Priap mit einem
brennenden Tragaltar.

Skulpturen
Der vorzüglich gegossene und ziselierte *Bronzekopf eines Satyrs (5)* mit spitzen Ohren, wildem Haarwuchs und spöttisch
verzerrtem Ausdruck hat durch unterschiedliche Legierung
farblich abgesetzte Lippen; die verlorenen Augen waren aus
anderem Material gearbeitet und eingesetzt (vgl. Seite 27 zum
Bronzekopf eines Jünglings Saal III: 7).
Eine römische, kaiserzeitliche Marmorarbeit von höchster Vir-
tuosität und Schärfe der Modellierung ist der berühmte *«Faun
mit dem Flecken» (4)*. Der Fleck ist eine nachträgliche Verfärbung.
Den Kopf hat J. J. Winckelmann als einen «der schönsten aus
dem Altertume» gepriesen.
Zu einer zum Teil in Kopien überlieferten Gruppe aus Kleinasien
gehörte der *gefesselte Marsyas (3)*, ein Silen, der sich vermessen
hatte, den leierspielenden Apollon durch sein mißklingendes
Flötenspiel zu übertreffen. Der Gott ließ ihn durch einen Sklaven
zu Tode schinden. In der Gruppe war Apollon mit der Kithara
auf einem Felsen ruhend, der an Armen und Beinen an einen
Baum gefesselte Marsyas und der hockende, sein Messer schlei-
Taf. 47 fende Sklave dargestellt (ein Relief des 4. Jahrhunderts aus der
Werkstatt des Praxiteles zeigt den Gott und den Sklaven als
Zuhörer des die Flöte blasenden Silen, Nationalmuseum Athen).
Im alten Rom galt die *«Trunkene Alte» (2)*, ein Marmorstandbild
aus Smyrna, als Werk eines Künstlers namens Myron. Die in
der Glyptothek ausgestellte römische Kopie des berühmten,
ebenso schonungslos schildernden wie auch erregend großartigen Bildwerks des griechischen «Genre» (2. Jahrhundert)
überliefert als einzige den Kopf der alten Frau (am Körper Ergänzungen nach einer zweiten Kopie in Rom). Die hagere, greise
Freundin des Weins hält mit verkrampften Händen eine große
bauchige Weinflasche, deren Schulter mit einem Efeukranz verziert ist. Die monumentale Skulptur, vordem in der Mannheimer
Sammlung des Kurfürsten Karl Theodor von der Pfalz, war sicher-

lich ein Weihgeschenk aus einem Heiligtum, nicht ein profanes
Kunstwerk in unserem Sinne.

Der Knabe mit der Gans (1). Nach römischer Überlieferung hatte *Taf. 4*
ein Künstler namens Boethos die bewunderte und wiederholt
kopierte Bronzegruppe mit dem spielenden und athletisch sich
abmühenden «Kinde, das eine Gans umarmt und dabei würgt»
(infans amplexando anserem strangulat) geschaffen. Die Kopie
in der Glyptothek ist die am besten erhaltene (ergänzt sind u. a.
Kopf und Flügelenden der Gans). Das originale Standbild war
vielleicht zum Dank für die Genesung eines Knäbleins in ein
Heiligtum einer Heilsgottheit gespendet (die Stütze ist eine not-
wendige Zutat des Marmorkopisten).

INNENHOF

Im ursprünglichen Zustand der Glyptothek vermittelte (wie auch jetzt) vom Vestibül zum quadratischen Innenhof ein hohes verglastes Portal. Es wurde 1864, schon 34 Jahre nach der Eröffnung des Museums, zugunsten eines Einbaus, der für die Ausstellung neu erworbener Reliefs aus Assyrien erforderlich war, zugemauert und durch einen in den Assyrerraum führenden engen Eingang ersetzt. Damit hatte noch der Schöpfer der Glyptothek selbst, Leo v. Klenze, die Hoffassade des hohen Mittelbaus im Haupttrakt verdeckt und auch den Innenhof verbaut. Der Assyrersaal wurde nach dem Krieg nicht wieder hergestellt (die assyrischen Reliefs befinden sich jetzt in der Sammlung Ägyptischer Kunst in der Residenz).

Beim Wiederaufbau der Glyptothek ist die ursprünglich tiefer liegende Hoffläche um 1 m angehoben worden; die geschlossenen Wände unter den halbkreisförmigen Hochwandfenstern (Lünetten) der Ausstellungssäle, die den Innenhof gegen die ihn umgebenden Räume abschirmten und ihn «unbewohnt» erscheinen ließen, wurden geöffnet. Die früher unzureichend erhellten Ausstellungssäle erhalten jetzt vom Innenhof ausreichendes Tageslicht, und dieser ist mit jenen, jene mit diesem in eine lebendigere Relation getreten.

Die im Innenhof aufgestellte große Säule (aus Untersberger Marmorsorten) stammt aus dem früheren Vestibül des klassizistischen Museumsbaus Friedrich v. Zieblands, der den Königsplatz auf der Südseite gegenüber der Glyptothek abschließt. Der im Krieg im Innern gänzlich zerstörte und modern wiederhergestellte Bau beherbergt seit 1967 die Antikensammlungen (vgl. Seite 4).

In der Mitte des Innenhofs ist ein großer Bronzekopf des Hadrian zu sehen. Er ist ein ausgezeichneter neuzeitlicher Abguß eines antiken Kopfes aus Marmor, der zu Beginn des 18. Jahrhunderts im großen Grabbau des Kaisers in Rom, der berühmten Engelsburg, aufgefunden wurde (jetzt im Museum des Vatikan). Wahrscheinlich gehörte er zu einer an der Grabstätte im Freien aufgestellten Statue des Kaisers. Dieses Porträt ist unter vielen überlieferten Bildnissen das überragendste und erhabenste des Hadrian.

Die Inschrift auf einem Marmorsockel des 18. Jahrhunderts besagt, daß auf ihm ein «griechisches Werk, ausgegraben zum
Wohl der Künste auf dem Esquilin ...», gestanden hat (Grae-
cum opus artium bono effossum Esquiliis). Das hier als Vorbild
künstlerischen Schaffens gepriesene Meisterwerk ist eine römische Kopie nach der berühmten Statue eines zum Wurf aus-
holenden Diskuswerfers von der Hand des klassischen griechischen Bildhauers Myron. Der Diskuswerfer vom Esquilin gehörte
der Skulpturensammlung der Glyptothek. 1938 erworben wurde
das Werk zehn Jahre später von Italien zurückgefordert. Es steht
heute im Thermenmuseum in Rom.

ANMERKUNGEN ZUR GLYPTOTHEK

Baugeschichte

1804/05 Kronprinz Ludwig tritt November 1804 seine erste Italienreise an. Er nimmt seine Sammeltätigkeit auf und äußert den Wunsch, ein Museum für antike Skulpturen zu gründen.

1808 Wettbewerb für Stadterweiterungen der königlichen Residenzstadt (Bayern ist seit 1806 Königreich).

1809/10 Projekt des Architekten Karl v. Fischer zu zwei Gebäuden am Königsplatz, von denen das eine wahrscheinlich als Statuenmuseum gedacht war.

1812 Im Stadtplan von 1812 ist der roh angelegte Königsplatz eingetragen.

1813 Kronprinz Ludwig beabsichtigt einen Wettbewerb «für ein Gebäude zweckmäßiger Aufstellung plastischer Werke» (Brief vom 27. 3. 1813 an den Architekten Karl Haller von Hallerstein; vgl. zu Haller Seite 58).

1814/16 Die Kgl. Bayerische Akademie der Bildenden Künste erteilt 1814 im Auftrag des Kronprinzen ein Preisausschreiben. Endgültig festgesetzte Frist 1. Januar 1816. Die Architekten Fischer, Haller von Hallerstein und Leo v. Klenze legen Entwürfe vor, die den Kronprinzen nicht befriedigen.

1816 Fischer und Klenze liefern zu Beginn des Jahres neue Entwürfe. Klenze, dessen Entwurf dem Kronprinzen zusagt, arbeitet endgültige Pläne aus.

Grundsteinlegung des Museums am 23. April. – Der Name Glyptothek begegnet zum ersten Mal in einem Brief des Kronprinzen vom 12. 4. 1816 an Haller von Hallerstein: «... die Glyptothek – also nenne ich das die Bildwerke alter und neuer Zeit enthaltende Gebäude.» Der Name ist eine in Analogie an griechische Begriffe wie Bibliothek oder Pinakothek neugefundene Wortbildung (Glyptik: Die Kunst in Metall oder in Stein zu schneiden, d. h. Bildhauerkunst, Steinschneidekunst). Später wurde der Name noch einmal für das Antikenmuseum in Kopenhagen in dessen Benennung als Ny Carlsberg Glyptothek übernommen.

Luisen-   Straße   Propyläen   Antiken-Sammlungen   Glyptothek   KÖNIGSPLATZ   Meiserstraße   Arcisstraße

29. Königsplatz mit Glyptothek und Antikensammlungen

1820   Abschluß des Rohbaus der Glyptothek.

1821   Baubeginn der Säulenvorhalle am Königsplatz.

1828   Nächtliche Feier in der Glyptothek.

1830   Endgültige Fertigstellung der Glyptothek im Sommer 1830. Klenze an König Ludwig I. in einem Brief vom 30. 9.: «Ew. Majestät haben zu befehlen geruht, daß die Glyptothek bis zum ersten Oktober vollendet sei, sie ist es, und Ew. Majestät finden anliegend den Schlüssel dazu». Die Glyptothek wird vom König ohne Festakt «dem Volke eröffnet».

1864   Klenze errichtet im Auftrag des Königs für neu erworbene große Reliefs aus Assyrien einen eigenen Saalbau im Innenhof der Glyptothek. Das hohe verglaste Hof-

portal wird zugemauert und durch einen Zugang zum
assyrischen Saal ersetzt.

1935   Pflasterung des Königsplatzes. Das heute noch beste-
hende Pflaster ist überhöht; der Fuß der Glyptotheks-
fassade liegt seither um die Höhe einer Stufe der Vor-
hallentreppe unter dem Boden. – Der vordem in vier
Rasenflächen gegliederte Platz war als ein in der Achse
der Briennerstraße sich öffnender und von den Propyläen
abgeschlossener «Endplatz» Münchens zum Verweilen
bestimmt. Er wird heute von zwei Fahrbahnen durch-
schnitten und als Parkplatz verwendet.

1939   Schließung der Glyptothek zu Kriegsbeginn.

1944   Zerstörungen durch Sprengbomben, vor allem Einsturz
der Säle I und XI und Brand des Dachstuhls.

1947/53 Provisorischer Wiederaufbau der zu 40 Prozent in ihrer
Bausubstanz zerstörten Glyptothek (mit Ausnahme des
Saals XI; auf eine Erneuerung des assyrischen Saals im
Innenhof des Museums wird verzichtet).

1956   Wiederaufrichtung des Saals XI im Rohbau.

1957/61 Verschiedene Vorstellungen von der inneren Gestaltung
der Säle, deren vielfältige und vielfarbige Ausstattung
durch den Krieg und z. T. durch die Kriegsfolgen zu 90
Prozent vernichtet war (Marmorböden, Wände mit Stuccolustro, Stuckdekor der Gewölbe, Wandgemälde von
Peter v. Cornelius in den ehemaligen Festsälen VII–IX):
In einer Konferenz der Museumsdirektoren (1957) schlägt
H. Diepolder vor, nur die Vorhalle und die Säle I und XIII
in der ursprünglichen Form zu restaurieren, in allen übrigen Sälen die Stuckaturen auf ihre elementare architek-
tonische Gliederung zu beschränken, den größten Saal
XI zum Hof zu öffnen sowie mit Oberlicht auszustatten.
Dem steht die Forderung nach einer vollständigen Nachbildung des ehemaligen reichen Schmucks aller Säle
einschließlich der zerstörten Fresken von Cornelius gegenüber. Daneben wird für die Skulpturen die Errichtung eines modernen Anbaus an die gänzlich restau-
rierte Glyptothek oder eines modernen Einbaus in ihren
Innenhof erwogen (Pavillon, Glasüberdachung des ganzen Innenhofes). J. Wiedemann spricht sich gegen Kom-
promißvorschläge aus, die z. T. auch erprobt worden waren

(formal und farblich vereinfachter Stuckdekor), und vertritt eine Konservierung lediglich des Ziegelmauerwerks mit bündiger Verfugung und dünner Mörtelhaut (1961).

1962 Desgleichen fordert der Verfasser am 15. 2. in einer Sitzung des Landesbaukunstausschusses für die Innengestaltung der Glyptothek eine Lösung ohne Kompromisse unter Wahrung der Grundkonzeption der Klenzeschen Raumkörper und legt in Zusammenarbeit mit H. Syndikus ein entsprechendes Projekt vor. «In solchen, in sich gültigen, stillen und außerordentlich klaren Räumen können – wenn nur einmal die Lösung gefunden sein wird, ohne Veränderung der originalen Gliederung des Klenzeschen Ziegelmauerwerks diesem eine Oberfläche zu geben – unsere Antiken ihre würdigste Heimstätte finden. Klenzes Glyptothek würde ihre Funktion . . . wieder und auch besser als je erfüllen können . . . als ein lebendiges und als zukunftsreiches Museum.»

1964/71 Nach mißglückten Versuchen wird J. Wiedemann 1964 die Planung und 1967 die Durchführung der Innengestaltung des Hauses nach seinem Vorschlag übertragen: Sanierung des Baus, eine unaufdringliche Verschlämmung der in ihrer ursprünglichen Struktur erhaltenen oder wiederhergestellten Säle, ein einheitlicher Bodenbelag mit Muschelkalkplatten. – Die hofseitigen Wände der vordem unzureichend erhellten Säle I, III–V, VII–IX, XI und XIII werden geöffnet, der Innenhof wird gehoben.

1971/72 Die Glyptothek erhält eine künstliche Beleuchtung für Abendöffnungszeiten: Eine von der Direktion des Museums erprobte und in Vorschlag gebrachte Anlage wird ausgeführt.

1972 28. April Wiedereröffnung der Glyptothek.

Außenbau

Portikus mit zwei Reihen von vier ionischen Säulen und mit Giebelarchitektur. Die im Krieg z. T. zerstörte Giebelgruppe nach Entwürfen von Johann Martin v. Wagner (vgl. Seite 59): Athena als Beschützerin der plastischen Künste, die durch acht Figuren vorgestellt waren (Steinbildner, Erzgießer, Holzschnitzer u. a.). In den Flügeln der Hauptfassade sechs Nischen mit Statuen mythi-

scher und geschichtlicher Repräsentanten der Künste. Von
rechts nach links: Dädalos, Prometheus, Hadrian, Perikles (im
Krieg zerstört), Phidias und Hephaistos. Auf der westlichen und
der östlichen Seite des Gebäudes je sechs Nischen mit Bildhauern der Renaissance und Bildhauern neuerer Zeit; unter diesen als erste im Osten Canova und Thorvaldsen (zwei der originalen Statuen auf dieser Seite zerstört).

Ursprüngliche Disposition der Säle und die Museumsidee des Kron-
prinzen Ludwig
Der Sammlung griechischer und römischer Bildwerke waren die
Säle II–VI und X–XII eingeräumt (ehemalige Zählung II–VI und
IX–XI), der Saal I ausgewählten Werken der ägyptischen Kunst
vorbehalten, um durch sie, wie Klenze in der ersten «Beschreibung der Glyptothek Sr. Majestät des Königs Ludwig I. von
Bayern», München 1830, sagt, «die Hauptgrundlage deutlich zu
machen, auf welcher die griechische Plastik ruht» (die ägyptischen Reliefs wurden zusammen mit den assyrischen Reliefs
1971 der Sammlung Ägyptischer Kunst in der Residenz über-
lassen). Ihren Abschluß fand die Skulpturensammlung im «Saal
der Neuern» (Saal XIII, in ehemaliger Zählung XII), in dem Werke
«moderner», vornehmlich klassizistischer Bildhauer standen, darunter Statuen und Büsten von Canova und Thorvaldsen (die
«Neuern» kamen 1919 in die Neue Pinakothek). Zu den jetzigen
Äginetensälen im Norden der Glyptothek sagt Klenze in der ge-
nannten Beschreibung: «Es waren im Programme, um sich bei
Beleuchtung der Statuen versammeln zu können, einige Säle ver-
langt, welche keine antiken Bildwerke enthalten sollten. Diese
glaubte der Architekt in der Mitte der ganzen Sammlung an-
bringen zu müssen...» Die beiden großen Festsäle VII und IX
(ehemalige Zählung VII und VIII) mit dem kleineren Zwischen-
saal (Saal VII, ehemalige «Kleine Vorhalle») als Vestibül, dem
außen ein kleiner Säulenportikus mit Auffahrtsrampen entspricht,
dienten den höfischen Empfängen bei Fackellicht. Ein von Ludwig geplanter Küchen- und Konditorei-Anbau kommt nicht zur
Ausführung.
In der Glyptothek, dem ersten öffentlichen Kunstmuseum der
Stadt München, war die Verpflichtung der ausgestellten Skulpturen der Architektur gegenüber eine sehr betonte: Axiale und
symmetrische Postierung, Bindung zu Wand und Nische; wiederholt hohe Anbringung an den Wänden oder Aufstellung auf

hohen Sockeln; eine Negierung der Lichtverhältnisse in den Sälen zugunsten der dekorativen Anordnung. Ob neu in der Glyptothek eingetroffene Römerbüsten «als decorazione» auf Säulen aufzustellen seien oder, «wie viele davon ... in die langen Reihen, und wäre es auch nur in die Schattenseite, sich eigneten», das solle, so schrieb Ludwig, geprüft werden. – «Die mit erlesenem Geschmack gestaltete Gesamtanordnung ergab in der Tat eine wahrhaft repräsentative Folge von Sälen, freilich auf Kosten der ungestörten Wirkung der einzelnen Werke, die im dekorativen Gesamt mehr oder weniger verlorenging» (Hans Diepolder). Die Glyptothek stellte jedoch als Ruhmestempel der antiken Plastik in ihrer Ausschließlichkeit und Konsequenz einen neuen, einzigartigen Gedanken des Kronprinzen Ludwig dar. Sie war nach Klenzes Worten dazu bestimmt, «dem Beschauer den Begriff der Achtung mitzuteilen, welche die neue Kunst diesen Meisterstücken des Altertums zollt, und den unscheinbaren Zustand, in welchem sie uns oft Jahrhunderte der Barbarei und Zerstörung überliefert haben, vergessen zu machen.» Sie war so die Verkörperung einer tiefempfundenen und wissensmäßigen Verehrung der «Reliquien» antiker Kunst, und ihre im fürstlichen Glanz schimmernden Säle waren vergleichbar einer reichen Goldfassung, die einen edlen verwitterten Stein umschließt, das angemessene Behältnis der ehrwürdigen Denkmäler des Altertums.

Die Glyptothek, wie sie 1830 abgerundet dastand, war notwendig auch ein unveränderliches Ganzes. Dieser vollendeten Einheit von Bauwerk und Sammlung mußte ein Wachstum oder ein Wandel in der Sammlung abhold sein. Die später durch Zuwachs an Kunstwerken geforderte Aufhebung der Festsäle – sie wurden seit etwa 1875 als Ausstellungssäle genutzt – oder die Ausscheidung der Werke der «Neuern» im Jahr 1919 waren mehr als eine Störung. Die ursprüngliche Gestalt der Glyptothek und ihr klassizistisches Programm, als «Stützpunkt höherer Kunstbildung» der Plastik der Gegenwart neue Wege zu eröffnen und ein neues Künstlergeschlecht zu bilden, geriet durch solche Eingriffe ins Wanken. Zuvor schon bedeutete die Aufnahme der im Rahmen der Glyptothek fremden Monumente aus dem Vorderen Orient (Ankauf des assyrischen Reliefs 1863 und Bau eines Assyrersaals im Innenhof) eine Abwendung von der klassizistischen Zielsetzung.

HERKUNFT DER AUSGESTELLTEN KUNSTWERKE

(F= Fund aus ...; Pal.= Palazzo; Jahreszahl in Klammer = Jahr der Erwerbung)

Saal I
1 F Attika (1909)
2 F Nähe von Korinth (1853)
3 Rom (1892)
4 Museum für Völkerkunde München (1896)
5 F wahrscheinlich Paros (1821)
6 F Attika, Nemesis-Heiligtum Rhamnus (1853)
7 Athen, Parthenon
8 Athen, Erechtheion
9 Bassä in Arkadien, Apollon-Tempel

Saal II
1 F Rom, Engelsburg = Grabmal des Hadrian (1813)
2 Rom, Pal. Rondanini (1811)
3 Griechenland (1882)
4 Antiquarium, Residenz München
5 Griechenland (1878)
6 Neue Pinakothek (1898)

Saal III
1 Rom, Villa Albani (1815)
2 Rom, Villa Albani (1815)
3 Rom (um 1810)
4 Rom, Villa Ridolfi (1812)
5 (1939)
6 F Unteritalien (1926)
7 F Unteritalien; Rom, Villa Albani (1815)
8 Rom
9 Rom, Pal. Braschi (1812)
10 Rom (1821)
11 F Rom (1918)
12 Venedig, Pal. Giustiniani-Recanati (1900)
13 Rom, Pal. Barberini (1814)
14 Verona, Pal. Bevilacqua (1811)
15 F Tusculum = Frascati bei Rom, Villa Albani (1816)

Saal IV
1 F Attika (1910)
2 F Attika (1910 und 1913)

3 F Attika (1913)
4 Antiquarium, Residenz München (1921)
5 Rom (1906)
6 F Athen (1899)
7 F Athen (1908)
8 F Panderma bei Kyzikos, Marmara-Meer (1925)
9 (1911)
10 Griechenland (1939)
11 Griechenland
12 Griechenland

Saal V
1 Rom, Villa Albani (1816)
2 Rom, Pal. Gaetani, später Pal. Ruspoli (1812)
3 Rom 1811
4 Rom; später Prag, Sammlung Kaiser Rudolf II. (1814)
5 Rom, Casa Maffei; später Verona, Pal. Bevilacqua (1811)
6 Rom (1815)
7 Athen (1912)
8 –
9 F Fiumicino bei Rom; Rom, Pal. Braschi (1811)
10 Rom (1939)
11 Rom (1900)
12 (mit Kopf) Rom, später Pal. Ruspoli (1812)
12 (Torso) Rom, Pal. Gaetani, später Pal. Ruspoli (1811)
13 Rom, Besitz J. J. Winckelmann, später Villa Albani (1815)
14 F Ostia bei Rom (1809)
15 –
16 Rom (1900)
17 Rom, Pal. Braschi (1812)

Saal VI
1 (1906)
2 Griechenland (1912)
3 Griechenland (1912)
4 Griechenland (1939)
5 Unteritalien (1912)

6   (1878)
7   F Südküste von Kleinasien
    (1906)
8   –
9   F Athen (1811)
10 Griechenland (1912)
11 Griechenland (1912)
12 (1907)
13 Rom (1900)

Saal VII–IX
    F Ägina, Aphaia-Heiligtum
    (1812)

Saal X
1   Rom, Pal. Rondanini (1814)
2   F Rom, Circus des Maxentius
    (1828)
3   –
4   Rom, Pal. Rondanini (1810)
5   (1966)
6   F Erythrä, Kleinasien (1920)
7   Antiquarium, Residenz Mün-
    chen (1920)
8   Antiquarium, Residenz Mün-
    chen (1920)
9   Apollonia am Rhyndakos,
    Kleinasien (1911)
10 F Kyme, Unteritalien (1821)
11 Rom (1811)
12 Venedig, Pal. Giustiniani-Re-
    canati (1900)
13 Antiquarium, Residenz Mün-
    chen (1920)

Saal XI
1   Verona, Pal. Bevilacqua (1815)
2   F Falerone bei Rom; Rom, Pal.
    Braschi (1820)
3   Verona, Pal. Bevilacqua (1811)
4   –
5   (1970)
6   Rom (1821)
7   Verona, Pal. Bevilacqua (1811)
8   Rom, Pal. Rondanini (1811)
9   –
10 Rom, Pal. Rondanini (1811)
11 –
12 –
13 Rom, Pal. Barberini (1814)
14 Rom, Casa Crescenzi, später
    Pal. Gaetani und Pal. Ruspoli
    (1814)
15 F Tusculum = Frascati bei
    Rom (1930)

16 Rom, Pal. Santa Croce (1816)
17 Verona, Pal. Bevilacqua (1811)
18 Rom (1822)
19 F Ostia bei Rom (1809)
20 (1917)
21 Verona, Pal. Bevilacqua
22 Rom (1822)
23 Rom (1820)
24 F Rom, Via Appia (1816)
25 Rom, Pal. Braschi (1820)
26 Rom (1820)
27 Rom (1816)
28 (1968)
29 (1968)
30 Verona, Pal. Bevilacqua (1811)
31 Rom (1820)
32 Rom, Casa Crescenzi, später
    Pal. Gaetani und Ruspoli (1811)
33 Rom (1814)
34 Rom (1828)
35 –
36 –
37 (1811)
38 Verona, Pal. Bevilacqua (1811)
39 Verona, Pal. Bevilacqua
40 Rom, Villa Albani (1815)
41 F Rom (1899)
42 F Sentinum, Sassoferrato/
    Mittelitalien (1828)
43 (Kopf) Rom, Villa Albani (1815)
43 (Büste) Verona, Pal. Bevilac-
    qua
44 Rom, Pal. Ruspoli (1811)
45 Rom (1811)
46 Verona, Pal. Bevilacqua (1814)
47 Verona, Pal. Bevilacqua
48 Lenbachhaus München (1967)
49 Verona, Pal. Bevilacqua
50 (1815)
51 F Porcigliano; Rom, Pal. Chigi
    (1816)
52 –
53 (1816)
54 Lenbachhaus München (1967)
55 –
56 Verona, Pal. Bevilacqua (1815)
57 Pompejanum, Aschaffenburg
    (1971)
58 Rom
59 Rom (1824)
60 Rom (1816)
61 –
62 Rom (1822)
63 Rom (1839)
64 Rom (1821)

65 (1967)
66 (1969, 1971)
67 F Rom, Basilica Ulpia/Forum des Trajan, Pal. della Valle (1816)

Saal XII
1 F Tusculum; Rom, Pal. Barberini (1815)
2 F Gabii bei Rom (1811)
3 –
4 Rom (1897)
5 Frascati, Villa Aldobrandini (1811)
6 F Capua, Unteritalien (1821)
7 F Labicum bei Rom; Villa Albani (1815)
– (Mosaik) –

Saal XIII
1 Rom, Pal. Braschi (1812)
2 Rom; Sammlung Kurfürst Johann Wilhelm von der Pfalz, später Mannheim und Antiquarium, Residenz München (1895)
3 F Rom
4 F Rom, Via Appia; Villa Albani (1816)
5 Rom, Villa Albani (1815)
6 F Rom, Via Appia (1828)
7 Rom, Pal. Accoramboni, später Villa Ridolfi (1817)
8 F Ostia (1826)
9 F Ostia (1826)
10 Rom, Pal. Braschi (1812)
11 Rom, Villa Albani (1815)
12 F Rom (1858)
13 Rom, Pal. Rondanini (1814)

Innenhof
Rom, Pal. Barberini (neuzeitl. Abguß; Original: F Rom, Engelsburg = Grabmal des Hadrian) (1815)

KONKORDANZ ZU DEN AUSGESTELLTEN KUNSTWERKEN

Erklärung der Abkürzungen:

FW = A. Furtwängler, Beschreibung der Glyptothek König Ludwig's I. zu München. Zweite Auflage, besorgt von P. Wolters. München 1910.

W = P. Wolters, Führer durch die Glyptothek König Ludwig's I. zu München. München 1935.

AS = Inventar der Antikensammlungen München.

E = Erwerbungen seit 1965.

DV = Durchgangsverzeichnis.

Standort des Kunstwerks	FW	W. E. AS. DV	Standort des Kunstwerks	FW	W. E. AS. DV
Saal I : 1		W 169	IV : 9		W 473
I : 2	47	W 168	IV : 10		W 498
I : 3	273	W 273	IV : 11		DV 33
I : 4	48	W 170	IV : 12		DV 32
I : 5	241	W 241	Saal V : 1	219	W 219
I : 6	198	W 198	V : 2	238	W 238
I : 7	195	W A 230	V : 3	302	W 302
I : 8	242	W 242	V : 4	270	W 270
I : 9	243	W 243	V : 5	269	W 269
Saal II : 1	218	W 218	V : 6	272	W 272
II : 2	252	W 252	V : 7		W 480
II : 3	206	W 206	V : 8	246	W 246
II : 4	52	W 174	V : 9	258	W 258
II : 5	456	W 456	V : 10	257a	W 479
II : 6	329	W 329	V : 11	250a	W 477
Saal III : 1	304	W 304	V : 12	228	W 228
III : 2	295	W 295	V : 12	229	W 229
III : 3	265	W 265	V : 13	261	W 261
III : 4	247	W 247	V : 14	210	W 210
III : 5	271b	W 484	V : 15	204	W 204
III : 6		W 523	V : 16	249a	W 476
III : 7	457	W 457	V : 17	227	W 227
III : 8	56	W 179	Saal VI : 1	272b	W 492
III : 9	212	W 212	VI : 2		W 497
III : 10	294	W 294	VI : 3		W 493
III : 11		W 519	VI : 4	271c	W 485
III : 12	248a	W 475	VI : 5		W 481
III : 13	208	W 208	VI : 6		AS 10.078
III : 14	236	W 236	VI : 7	271a	W 482
III : 15	213	W 213	VI : 8		DV 34
Saal IV : 1		W 491	VI : 9	209	W 209
IV : 2		W 495/496	VI : 10		W 486
IV : 3		W 487	VI : 11		W 489
IV : 4		W 520	VI : 12		W 512
IV : 5	272a	W 490	VI : 13	252a	W 478
IV : 6	199	W 199	Saal X : 1	298	W 298
IV : 7	271d	W 483	X : 2	292	W 292
IV : 8		W 522	X : 3		DV 47

Standort des Kunstwerks	FW	W. E. AS. DV	Standort des Kunstwerks	FW	W. E. AS. DV
X : 4	303	W 303	XI : 43	358	W 358
X : 5		E 532	XI : 43	385	W 385
X : 6		W 509	XI : 44	429	W 429
X : 7		W 511	XI : 45	396	W 396
X : 8		W 507	XI : 46	427	W 427
X : 9		AS 10.067	XI : 47	382	W 382
X : 10	234	W 234	XI : 48		DV 35
X : 11	266	W 266	XI : 49	357	W 357
X : 12	213a	W 472	XI : 50	352	W 352
X : 13		W 510	XI : 51	354	W 354
Saal XI : 1	317	W 317	XI : 52	360	W 360
XI : 2	367	W 367	XI : 53	356	W 356
XI : 3	314	W 314	XI : 54		DV 36
XI : 4	316	W 316	XI : 55	362	W 362
XI : 5		E 537	XI : 56	384	W 384
XI : 6	413	W 413	XI : 57		DV 46
XI : 7	320	W 320	XI : 58	275	W 275
XI : 8	323	W 323	XI : 59	386	W 386
XI : 9	351	W 351	XI : 60	355	W 355
XI : 10	333	W 333	XI : 61	381	W 381
XI : 11	423	W 423	XI : 62	406	W 406
XI : 12	420	W 420	XI : 63	417	W 417
XI : 13	319	W 319	XI : 64	379	W 379
XI : 14	309	W 309	XI : 65		E 533
XI : 15		W 527	XI : 66		E 536
XI : 16	239	W 239	XI : 66		E 538
XI : 17	335	W 335	XI : 67	348	W 348
XI : 18	343	W 343	Saal XII : 1	211	W 211
XI : 19	414	W 414	XII : 2	214	W 214
XI : 20		W 505	XII : 3	271	W 271
XI : 21	415	W 415	XII : 4	245	W 245
XI : 22	285	W 285	XII : 5	290	W 290
XI : 23	341	W 341	XII : 6	289	W 289
XI : 24	342	W 342	XII : 7	394	W 394
XI : 25	377	W 377	XII	vor 441	W 503
XI : 26	405	W 405	Saal XIII : 1	268	W 268
XI : 27	398	W 398	XIII : 2	437	W 437
XI : 28		E 535	XIII : 3	280	W 280
XI : 29		E 534	XIII : 4	222	W 222
XI : 30	400	W 400	XIII : 5	450	W 450
XI : 31	334	W 334	XIII : 6	345	W 345
XI : 32	337	W 337	XIII : 7	363	W 363
XI : 33	402	W 402	XIII : 8	328	W 328
XI : 34	410	W 410	XIII : 9	365	W 365
XI : 35	404	W 404	XIII : 10	223	W 223
XI : 36	344	W 344	XIII : 11	240	W 240
XI : 37	332	W 332	XIII : 12	455	W 455
XI : 38	339	W 339	XIII : 13	251	W 251
XI : 39	375	W 375	Vorhalle	206a	W 471
XI : 40	340	W 340	Vorhalle		DV 48
XI : 41	364	W 364	Hof	278	W 278
XI : 42		W 504			

Klaus Vierneisel und Martha Ohly wird für mannigfache Hilfe bei der Verfassung des Textes gedankt.

Textabbildungen. Ernst-Ludwig Schwandner zeichnete die Vorlagen zu den Abbildungen 1, 2, 8, 12–14, 16, 18–21, 23, 25–29. Renate Dolz zeichnete die Vorlagen zu den Abbildungen 3–7, 9–11, 17, 22, 24.

Tafeln. Photographien der Staatl. Antikensammlungen und Glyptothek: Aufnahmen Franz Kaufmann (Tafel 1–2, 8–9, 18, 20, 22–25, 27–29, 32, 37), Hartwig Koppermann (Tafel 3, 5–7, 10–17, 19, 21, 26, 30–31, 33–36, 38–48), Eva-Maria Stresow-Czakó (Tafel 4).

Zitate

S. 17 *Frühgriechische Jünglinge: ein großes* ... E. Buschor, Frühgriechische Jünglinge

S. 18 *Kein Stück der Oberfläche* ... H. von Hofmannsthal, Buch der Freunde

S. 18 *(Es ist Homer, der dichter) fürst und ahn* St. George, Dante, Göttliche Komödie, Übertragungen (4. Aufl.): Die Gruppe der Dichter (Hölle, IV. Gesang, v. 88)

S. 20 *glaubt man, ihn tief* ... H. Meyer, Beilage I zu J. J. Winckelmanns sämtliche Werke, Einzige vollständige Ausgabe, von J. Eiselein, Donaueschingen 1825, Bd. 4

S. 21 *einer der größten der Antike* ... E. Buschor, Die Plastik der Griechen (1958)

S. 22 *einer mythischen Urzeit* ... Goethe, Brief an Ludwig I. von Bayern (Dank für Empfang eines Gipsabgusses der Medusa 1825)

S. 22 *wundersamen Werk,* ... Goethe, Italienische Reise (Rom, April 1788)

S. 22 *hohen und schönen* ... Goethe, Italienische Reise (Rom, 25. XII. 1786)

S. 22 *unaussprechlichen und unnachahmlichen* ... Goethe, Italienische Reise (Rom, 29. VII. 1787)

S. 29 *Die von der Poesie* ... A. Furtwängler, Beschreibung der Glyptothek König Ludwig's I. (2. Aufl., besorgt von P. Wolters), zu Nr. 213

S. 32 *Die Grabmäler sind herzlich* ... Goethe, Italienische Reise (Verona, 16. IX. 1786)

S. 79 *in vorzüglicher Ähnlichkeit* ... Polybius, 6. Buch 53, 5

S. 93 *leidlos ernst* P. Yorck von Wartenburg, Italienisches Reisetagebuch

S. 93 *sind in eine übersinnliche Sphäre* ... E. Buschor, Die Plastik der Griechen (1958)

S. 96 *Der grausige Vorgang* ... C. Weickert, Gladiatorenrelief der Münchner Glyptothek, Münchner Jahrb. d. bild. Kunst, N. F. 2, 1925

S. 98 f. *Komposition wie Zeichnung* ... G. J. Kern, Das Jahreszeiten-Mosaik von Sentinum und die Skenographie bei Vitruv, Jahrb. d. D. Archäol. Instituts 53, 1938

S. 107 *der schönsten aus dem Altertume* J. J. Winckelmann, Geschichte d. Kunst d. Altertums (Phaidon-Verlag 1934, 158)

S. 115 f. *Die mit erlesenem Geschmack* ... H. Diepolder, Antikensammlungen München, in Bayer. Kulturpflege, Beiträge zur Geschichte der Schönen Künste in Bayern

TAFELN

1   Glyptothek, Fassade am Königsplatz (vor 1939)

2　Glyptothek. Saal der römischen Bildnisse (XI) vor der Zerstörung im Krieg

3 Glyptothek. Saal der Eirene (V)

4   Bildnis des Homer, 460/450 v. Chr. (Kopie). H 40 cm. Saal I : 3

5 Kopf des ‹Apoll von Tenea›, 560/550 v. Chr. H des Ausschnitts 33 cm.
Saal I : 2

6   Statue des Diomedes, um 430 v. Chr. (Kopie). H 102 cm. Saal III : 1

7   Attische Jünglingsstatue, 540/530 v. Chr. H 211 cm. Saal I : 1

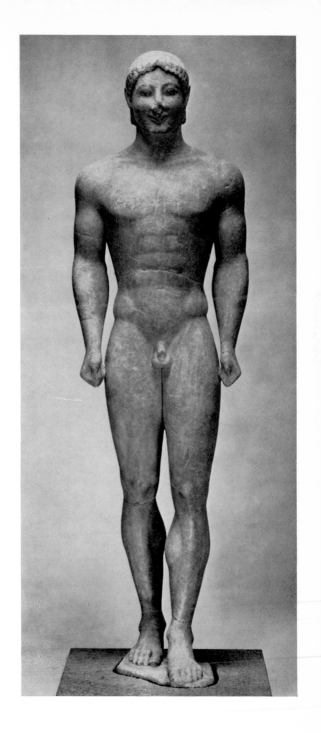

8 Gesimsblock vom Erechtheion, Akropolis von Athen (Ausschnitt).
Um 410 v. Chr. H 52 cm. Saal I : 8

9   Der ‹Barberinische Faun›, um 220 v. Chr. H des Ausschnitts 44 cm.
Saal II : 1

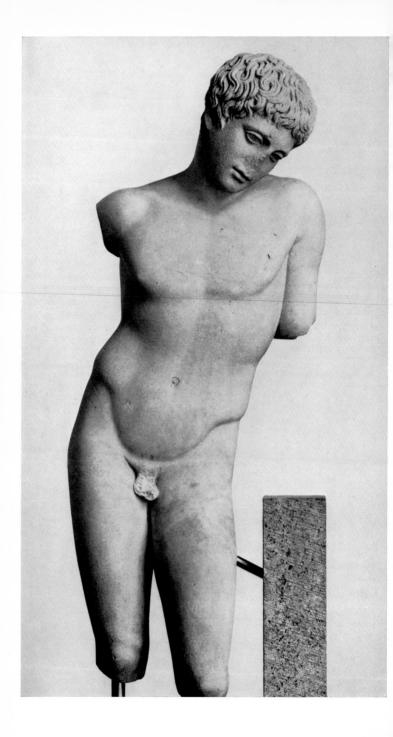

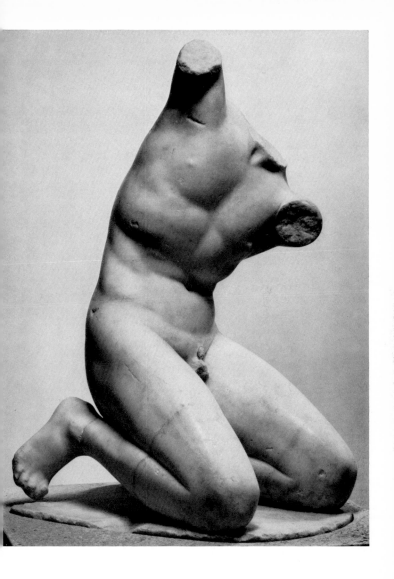

11   Torso eines knienden Jünglings, um 300 v. Chr. H 89 cm. Saal V : 4

10   Statue eines Knaben, um 410 v. Chr. (Kopie). H 83 cm. Saal III : 5

12   Aphroditekopf, 300/290 v. Chr. H 29 cm. Saal V : 10

13 Kopf der Statue eines Athleten, 360/350 v. Chr. (Kopie). H des Ausschnitts
31 cm. Saal V : 3

14　Jünglingskopf aus Bronze, von einer Statue. Römisch, um Christi Geburt (nach klassischem Vorbild). H 26 cm. Saal III : 7

15 Frauenkopf, 300/280 v. Chr. H 30 cm. Saal V : 8

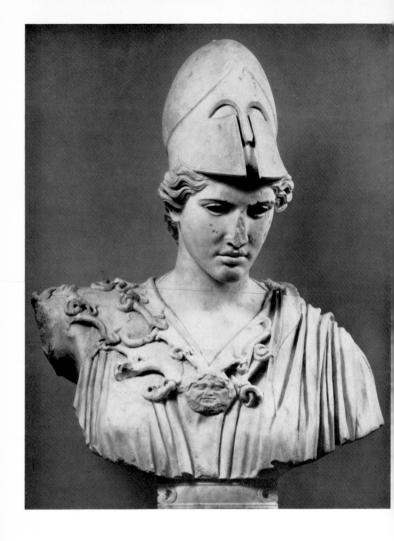

16 Athena, 430/420 v. Chr. (Kopie, Büste). H 114 cm. Saal III : 15

17 Statue der Eirene, um 370 v. Chr. (Kopie). H 206 cm. Saal V : I

18   Relief eines Grabmals (Lekythos). Um 370 v. Chr. H des Ausschnitts 39 cm.
Saal IV : 10

19   Grabrelief der Mnesarete, um 380 v. Chr. H 166 cm. Saal IV : 1

20   Grabrelief, Frau mit Dienerin. Um 400 v. Chr. H 100 cm. Saal VI : 4

21 Grabrelief, Jäger mit Hund. Um 360 v. Chr. H 120 cm. Saal VI : 1

22 Kopf der Athena, Westgiebel des Tempels von Ägina. 505/500 v. Chr.
H des Ausschnitts 29 cm. Saal VII

23 Kriegerkopf, Westgiebel des Tempels von Ägina. 505/500 v. Chr. H des
Ausschnitts 28 cm. Saal VII : 2

24   Kopf des Aias, Westgiebel des Tempels von Ägina. 505/500 v. Chr. H des
Ausschnitts 37 cm. Saal VII

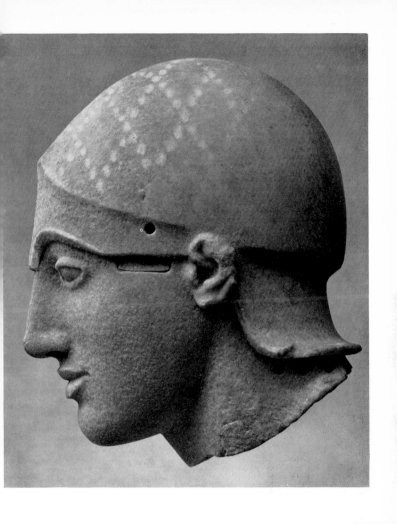

25   Kriegerkopf, Ostgiebel des Tempels von Ägina. 485/480 v. Chr. H 24 cm.
Saal IX : 3

26 Kopf des troischen Königs Laomedon, Ostgiebel des Tempels von Ägina.
485/480 v. Chr. H des Ausschnitts 38 cm. Saal IX

27 Kopf des Herakles, Ostgiebel des Tempels von Ägina. 485/480 v. Chr.
H des Ausschnitts 25 cm. Saal IX

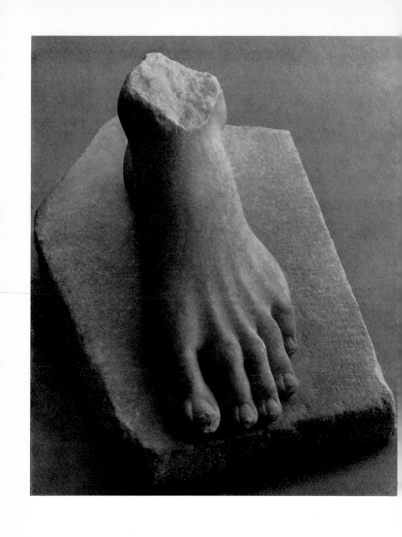

28 Fuß eines Kriegers, Westgiebel des Tempels von Ägina. 505/500 v. Chr.
L 21 cm. Saal VII

29 Bogenschütze Paris, Westgiebel des Tempels von Ägina. 505/500 v. Chr.
H 96 cm. Saal VII

30　Kopf einer Göttin, 250/200 v. Chr. (Kopie). H 45 cm. Saal X : 10

81   Kopf der Statue des Alexander, 338/336 v. Chr. (Kopie). H des Ausschnitts
40 cm. Saal X : 1

32 Weihrelief mit ländlichem Heiligtum, um 200 v. Chr. H 62 cm. Saal II : 3

33 Hochzeit des Poseidon und der Amphitrite. Reliefmonument aus Rom (Ausschnitt). Um 70 v. Chr. H 80 cm. Saal XI : 16

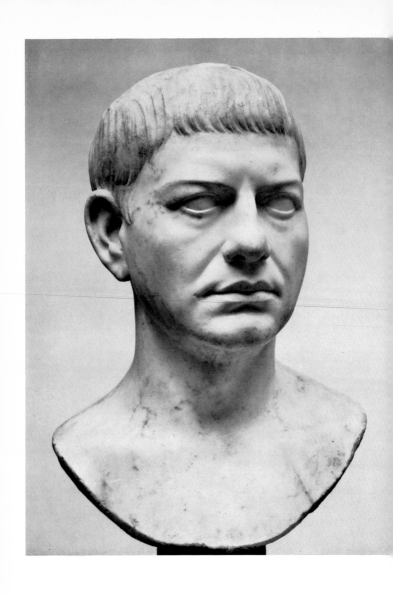

34   Büste eines jungen Mannes, 40/30 v. Chr. H 40 cm. Saal XI : 6

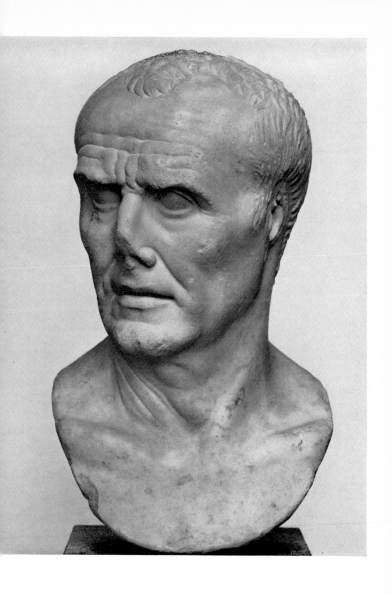

85 Büste des ‹Marius›, 50/40 v. Chr. H 46 cm. Saal XI : 13

36 Kopf des T. Caesernius Statianus (von einer Panzerstatue). Um 130 n. Chr
H 39 cm. Saal XI : 29

37 Büste des Augustus (reg. 31 v. Chr. – 14 n. Chr.). 40/50 n. Chr. H 43 cm.
Saal XI : 1

38   Büste eines Mannes, 110/120 n. Chr. H 49 cm. Saal XI : 19

39 Büste eines Mannes, 130/140 n. Chr. H 64 cm. Saal XI : 33

40   Septimius Severus (Kaiser 193–211). 200/210 n. Chr. H 82 cm. Saal XI : 49

41 Büste einer Frau, 240/250 n. Chr. H 68 cm. Saal XI : 53

42   Kopf eines Mannes, um 400 n. Chr. H 30 cm. Saal XI : 64

43   Kopf der Julia Domna, der Frau des Septimius Severus. Um 195 n. Chr.
H 37 cm. Saal XI : 51

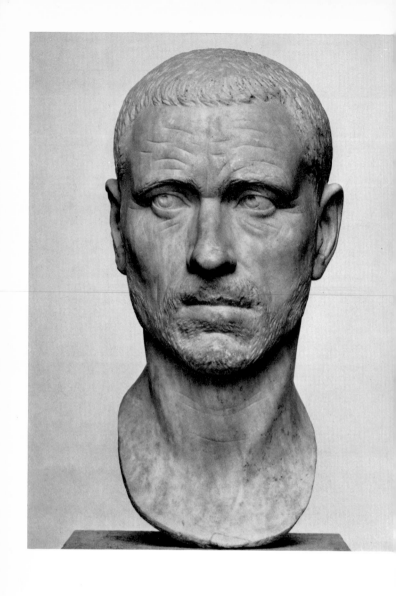

44   Kopf eines Mannes (von einer Statue). 240 n. Chr. H 41 cm. Saal XI : 55

45 Kopf eines Jägers, Relief eines Sarkophags. 250/260 n. Chr. H des Ausschnitts 39 cm. Saal XI : 66

46   Knabe mit Gans, 250/200 v. Chr. (Kopie). H 84 cm. Saal XIII : 1

47   Kopf eines Satyrs, um 100 v. Chr. (Kopie). H 24 cm. Saal XIII : 4

48   Haupt der Medusa, um 440 v. Chr. (Kopie). H 40 cm. Saal II : 2

BUCHANZEIGEN

HANDBÜCHER
ZUR ALTERTUMSWISSENSCHAFT
UND ZUR ARCHÄOLOGIE

Handbuch der Altertumswissenschaft

Begründet von Iwan von Müller, erweitert von Walter Otto, fortgeführt von Hermann Bengtson. Das ‹Handbuch der Altertumswissenschaft›, 1886 begründet, umfaßt heute etwa 50 lieferbare Bände zu allen Gebieten der Altertumswissenschaft.

Handbuch der Archäologie

Im Rahmen des Handbuchs der Altertumswissenschaft. Begründet von Walter Otto, fortgeführt von Reinhard Herbig, neu herausgegeben von Ulrich Hausmann

Begründet wurde das ‹Handbuch der Archäologie› 1939; seit 1969 erscheint es in neuer Gestalt. Ziel des Unternehmens ist es, in Einzelbänden einen umfassenden gattungsmäßigen und geschichtlichen Überblick über die wichtigsten archäologischen Denkmäler des Altertums zu geben.

Corpus Vasorum Antiquorum

Herausgegeben von der Union Académique Internationale
Das ‹Corpus Vasorum› dient der Veröffentlichung der antiken Tongefäße in Bildwiedergaben mit archäologisch exakter Beschreibung und Einordnung. Die deutsche Reihe dieses internationalen Unternehmens, an dem sich 15 Länder beteiligen, erscheint seit 1938. Der deutsche Anteil umfaßt heute über 30 Bände; allein den Beständen in München sind bisher sieben Bände gewidmet.

Ausführliche Sonderprospekte aller hier angezeigten Reihen liegen vor

VERLAG C.H.BECK MÜNCHEN 40